BLIZZARD

ROGER H. SCHOEMANS

Blizzard

Davidsfonds/Infodok

Schoemans, Roger H.
Blizzard

© 2008, Roger H. Schoemans en Davidsfonds Uitgeverij NV
Blijde Inkomststraat 79, 3000 Leuven
www.davidsfondsuitgeverij.be
Vormgeving cover: Bart Luijten
Vormgeving binnenwerk: Peer De Maeyer
D/2008/2952/28
ISBN 978 90 5908 262 5
NUR 284
Trefwoorden: Canada, sneeuw

CANADA, IN HET JAAR 1749

In de provincies aan de Atlantische kust leefden de Franse kolonisten op gespannen voet met hun Engelse meesters.

De Fransen noemden hun land 'Acadië'. Het maakt vandaag deel uit van Canada en de Verenigde Staten.

De Fransen in Acadië waren de eerste Europeanen die zich in Noord-Amerika vestigden. Ze bouwden er hun eerste nederzetting in 1604. Anders dan veel kolonisten elders in Amerika onderhielden ze goede betrekkingen met de oerinwoners van hun nieuwe land. Indianen en blanken dreven druk handel met elkaar en werkten meestal als goede buren samen.

De Acadiërs waren succesvolle boeren, vissers, jagers en handelaars. Ze waren erg gehecht aan hun katholieke geloof en hun taal. Ze genoten vrijheden waar de mensen in het thuisland nauwelijks van durfden te dromen. Sommigen vergaarden grote rijkdom.

Na een verloren oorlog moest de Franse koning Acadië in 1713 aan de Engelse kroon afstaan. De Franse kolonisten probeerden hun oude leven voort te zetten, wat aanvankelijk min of meer lukte. Tot de Britten een nieuwe stap wilden zetten op weg naar de verovering van heel Canada.

In 1749 liet gouverneur Cornwallis daarom zijn ijzeren vuist voelen. Hij eiste dat alle Acadiërs een eed van trouw zouden zweren aan de Britse koning. Alleen wie de eed aflegde, behield een deel van zijn oude rechten. Wie ook nog zijn katholieke geloof ruilde voor het protestantse, beloofde hij grote voordelen.

De Fransen verzetten zich, maar ze kregen weinig steun vanuit Frankrijk en verloren de ene slag na de andere. De Engelse overwinnaars beslisten hen als opstandelingen het land uit te zetten. Ze pakten schepen vol met duizenden ballingen. Moeders, vaders en kinderen werden van elkaar gescheiden en ver van huis in de wildernis gedumpt. Hun eigendommen werden vernield of verdeeld onder Engelse kolonisten.

Sommige Acadiërs verscholen zich in het onherbergzame binnenland. Velen van hen kwamen om. Anderen probeerden een onderkomen te vinden bij de Franse kolonisten in het noordelijk gelegen Québec. Slechts weinigen overleefden de vreselijke reis.

In de volgende eeuwen keerde een aantal Acadiërs terug naar het verloren vaderland. Het zou hun meer dan twee eeuwen van bloed, zweet en tranen kosten om hun cultuur te herstellen en hun rechten terug te krijgen.

Dit is het verhaal van een jonge Acadiër en zijn tragische vlucht in de wildernis.

ZEILEN AAN DE HORIZON

Henri wees met zijn stok naar de einder.

'Schip', zei hij.

Pa'bert had meteen door wat hij bedoelde.

'Een brik', bromde hij.

Er klonk onrust in zijn stem.

'Engelsen?' vroeg Henri.

'Mm', antwoordde Pa'bert.

De oude mannen staarden roerloos in de verte. Hun door zon en wind getaande gezichten verraadden niets van wat in hun binnenste omging.

'Waar zien jullie dat schip?' vroeg Ti'bert.

Zijn grootvader Pa'bert wees naar de horizon. Ti'bert zocht vruchteloos de lijn tussen de metaalgrauwe oceaan en de asgrijze wolken af. Een stevige bries deed het water rimpelen. Bij het land droegen de golfjes schuimkopjes.

'Recht voor je, jongen', zei Henri. 'Gebruik de ogen die God je gegeven heeft.'

Henri was het opperhoofd van de lokale indianenstam. Hij had zijn zomerkamp vlak bij de Franse nederzetting opgeslagen.

Ti'bert speurde nogmaals de einder af. Geen schip te vinden.

'Waar?' herhaalde hij ongeduldig.

De twee mannen antwoordden niet. Ze leken wel knoestige standbeelden, zoals ze naast elkaar op de halve boomstam zaten. Elk op zijn eigen plaats, altijd op dezelfde plek, waar hun zitvlak het hout op hun maat gepolijst had.

De hoge klip was hun uitkijkpost, waar ze het eerst het nieuws zagen aankomen. Een storm, een schip, een zwerm vogels, een school vissen. Goed nieuws, slecht nieuws.

'Ik zie nog altijd niets', klaagde Ti'bert.

Henri prikte met zijn knoestige wandelstok naar een punt in de verte.

De indiaan was opa Pa'berts oudste en trouwste vriend. Hij was de *sagamo*, het hoofd van de stam van de Beer. Daarnaast was hij ook nog een *autmoin*, zoals ze een tovenaar, genezer en hogepriester noemden bij het volk van de Mikmaq.

De zon priemde met fijne straaltjes door de wolken. De schuimkopjes glinsterden als dauwdruppels op een heldere herfstmorgen. Het licht deed pijn aan Ti'berts ogen.

En toen vond hij eindelijk wat de mannen aan de einder ontdekt hadden. Een wit vlekje, niet groter dan de nagel van zijn pink. De zeilen van een schip.

'Hoe kun je weten dat het een Engelse brik is?' vroeg hij.

In stilte hoopte hij dat de oudjes zich vergist hadden.

'Twee masten, volle zeilen', antwoordde Henri.

'Een snelle tweemaster uit het zuiden', legde Pa'bert uit. 'Dat kan alleen een Engelse brik zijn.'

'Slecht nieuws', gromde Henri.

Hij trok luidruchtig zijn neus op en spuwde vol verachting op de grond tussen zijn voeten.

Ti'bert voelde de angst en de spanning als bijtgrage spinnen over zijn ruggengraat rennen. Zijn grootvader gaf hem echter geen tijd om bang te zijn.

'Ga je vader vertellen dat er Engelsen op komst zijn', beval hij.

'Breng ook mijn zoon op de hoogte', zei Henri. 'Zeg hem dat ik snel naar het kamp kom.'

Avonden lang hadden de mannen van de familie Druon overlegd wat ze moesten doen als de Engelsen hen overvielen.

Ti'bert had zich tot het uiterste moeten inspannen om hun discussies te volgen. Hij was dertien en zoals de andere kinderen in de nederzetting had hij nooit een voet in een school gezet. Lezen en schrijven had zijn moeder Angeline hem bijgebracht. De kunst van het rekenen had hij van zijn vader opgestoken. Van opa Pa'bert had hij geleerd het land te bewerken, het vee te verzorgen en wild te vangen in het oerwoud dat hun nederzetting omringde. Nuttige kennis die hem straks van pas kwam, wanneer hij op zijn beurt een stuk wildernis zou ontginnen om een eigen gezin te stichten.

De mannen praatten echter over dingen die ver van zijn huis gebeurd waren. Rond de open haard in Pa'berts grote woonkamer hadden ze het over oorlogen die de Franse koning in Europa verloren had. De vorst had vrede gekocht door hen en hun land in Canada aan de Engelsen te geven. Het land dat ze op de wildernis veroverd hadden en met veel hard werk hadden bebouwd. Ze noemden het 'Acadië', een woord dat ze opgepikt hadden uit de taal van de Mikmaq, de indianen met wie ze als beste buren samenleefden.

De Engelsen, vreesden ze, zouden hun paradijs kapotmaken. Dan kwam er een eind aan hun goede verhoudingen met de Mikmaq, want ze hadden gehoord hoe genadeloos de Britten sommige stammen in hun Amerikaanse kolonies van grond en bezit hadden beroofd.

De nieuwe heersers zouden hen dwingen zich naar hun vreemde wetten te schikken. Nieuwe belastingen opleggen. Protestantse predikanten zouden hen bezweren en misschien zelfs dwingen hun katholieke geloof af te leggen.

'De Engelse gouverneur eist dat we trouw zweren aan zijn koning in Londen', had Pa'bert gezucht.

'Daarna zal hij ons dwingen de wapens op te nemen tegen onze broeders in Québec! Fransen tegen Fransen laten vechten!' had Albert Druon uitgeroepen.

Hij was de oudste zoon van Pa'bert en de vader van kleine Albert, 'le Petit Albert' in het Frans, 'Ti'bert' in het kort. Zoals grootvader 'Papa Albert' ook door iedereen kort en krachtig met 'Pa'bert' werd aangesproken.

'Nooit', hadden Ti'berts ooms in koor geantwoord.

'Ze steken je huis in brand als je weigert de eed af te leggen', had Pa'bert gezegd. 'Daarna voeren ze je weg naar een Engelse kolonie in het zuiden, waar ze je als een knecht aan het werk zetten!'

'We zullen vechten', had een van de mannen in de kring gedreigd.

'Neen, neen... We kunnen de strijd niet winnen', had Ti'berts vader geantwoord. 'De Engelsen zijn te talrijk. Ze hebben soldaten en wapens in overvloed. Wij hebben niets meer om ons te verdedigen tegen hun overmacht.'

Het bleef lange tijd stil in de kamer voor Pa'bert besliste: 'Er blijft ons maar één uitweg. Als de Engelsen komen, trekken we naar het noorden. We zoeken een onderkomen bij de Franse kolonisten in Québec. En we beginnen opnieuw.'

'Ik laat me niet zomaar van mijn land verjagen!' riep oom Ernest.

Pa'berts jongste zoon zocht de kring af naar bondgenoten. Niemand trad hem bij.

'We moeten denken aan de vrouwen en kinderen', zei Ti'berts vader. 'Als we vechten, sturen de Engelsen hun indiaanse handlangers op ons af. Irokezen. Die kerels vermoorden iedereen. Zelfs vrouwen en kinderen.'

'En wat als we de vervloekte eed afleggen en daarna toch onze eigen zin doen?' vroeg oom Charles.

'Denk aan de woorden van Vader Didier', waarschuwde Pa'bert.

Priester Didier was jarenlang hun pastoor geweest. Om de paar maanden had hij zowel de Franse nederzetting als het indianenkamp bezocht om biecht te horen, een mis op te dragen, kinderen te dopen en graven van overledenen te zegenen. 'Wie lichtzinnig de naam van God gebruikt, belandt in de hel', had de priester gedreigd.

'Maar een afgedwongen eed is toch geen echte eed?' mopperde Charles.

Pa'bert legde hem korzelig het zwijgen op.

'Om het even. Ik zal nooit toelaten dat een van mijn kinderen Gods heilige naam gebruikt om te liegen!' riep hij.

De mannen gromden.

'De ketters uit Londen geven er geen stuiver om of we de eed afleggen of niet', zei Pa'bert streng. 'Ze willen onze grond, dat is alles. Zelfs als we ons verlagen tot hun protestantse geloof en alleen nog Engels praten, dan nog zullen ze ons blijven treiteren om onze hoeves in te pikken. Ze willen ons gewoon weg. Dat is hun enige doel.'

'We moeten onze vlucht goed voorbereiden', had Ti'berts vader gezegd. 'Alles moet klaarstaan om te vertrekken zodra de vijand opdaagt.'

Het klonk alsof hij een doodvonnis uitsprak.

ZOETE BES

Meer springend dan lopend daalde Ti'bert de klip af. In de loofbossen op de heuvels pronkten al de eerste loofbomen met felle herfstkleuren. Vurig rood, glanzend goud, helder geel, elke kruin was een schilderij. Ti'bert keek er niet eens naar. Het enige waar hij oog voor had, waren de schatten die zijn familie binnenkort moest achterlaten.

Hoog boven de riviermonding hadden Pa'bert en zijn kinderen stevige houten huizen, stallen en schuren gebouwd. De woningen hadden ze naar het zuiden gericht zodat de steile helling de achterkant beschermde tegen de barre noordenwind. Stallen en schuren lagen vlakbij, want als een blizzard de wereld veranderde in een witte sneeuwhel, kon een mens al na een paar meter verdwalen en sterven.

Een kleine, ruwe blokhut herinnerde aan het begin van de nederzetting. Het was het eerste onderkomen van opa Pa'bert geweest, toen hij omstreeks het jaar 1700 als jonge man in Canada voet aan wal had gezet.

Hij was met een schip vol landverhuizers uit Frankrijk gekomen. De kapitein had het anker in het midden van de baai uitgeworpen, omdat modderbanken hem beletten tot bij de oever te varen. Van over het water staarden de kolonisten naar de beboste heuvels. Oerwoud, zover het oog reikte. Een officier van de koning had met een groots gebaar een stuk van het oerwoud aangeboden. Hij verzekerde hun dat het land vruchtbaar was. Ze hoefden alleen wat bomen te rooien om eigenaar te worden van grote lappen akkerland. De kolonisten waren helemaal niet onder de indruk.

'Wat moeten we met de stenen?' vroeg er een met een blik op de rotsoever. 'Moeten we die ook rooien?'

'De hellingen zijn veel te steil voor akkers', stelde een ander vast. 'Als je de bomen omhakt, spoelt de aarde zo weg.'

'Het zal ons jaren werk kosten voor die grond iets opbrengt', meende een derde.

Alleen Pa'bert had toegehapt. Hij was een kind uit de Poitoustreek in Frankrijk en daarom had hij niet naar het bos gekeken, maar naar de slijkvlakte onder de klipkust. Duizenden jaren had de rivier vruchtbaar slib in de baai afgezet. Hem was met de paplepel ingegeven hoe een boer rijke landbouwgrond kon maken van vettig modderland. In één oogopslag had hij uitgemaakt dat dit voor hem het beloofde land was.

De baai lag in het zomerse jachtgebied van de Berenstam. De Mikmaq-indianen hadden er geen probleem mee dat Pa'bert en zijn jonge vrouw zich bij hen vestigden. De rijkdom van het uitgestrekte oerwoud was in hun ogen immers onuitputtelijk. En ze vonden het handig een Franse nederzetting in de buurt te hebben. Ze dreven immers al lang handel met Franse zeelui en vissers, die hun messen, bijlen, zagen, potten en pannen gaven in ruil voor hun kunstig bewerkte pelzen.

Toen Pa'bert in de troosteloze moddervlakte aan de slag ging, begrepen ze niet wat hij met zijn gewroet wilde bereiken. Met leedvermaak keken ze toe hoe de jonge man en zijn vrouw als waanzinnigen dijken opwierpen en kanaaltjes uitspitten. Pas veel later snapten ze dat de Franse boer het eeuwige spel van eb en vloed veranderd had om kostbaar land op het water te veroveren.

Op een uitgestrekte lappendeken van polders verbouwde de snelgroeiende familie Druon koren, gerst en mais. In de tuinen teelden de vrouwen zoveel groente dat de familie de overvloed nauwelijks opgegeten kreeg. Er waren zelfs vijvers, waaruit ze zomaar verse vis konden scheppen. Hooiland hoger op de heuvels leverde wintervoer voor het vee.

Tegenover de Mikmaq gedroeg Pa'bert zich als een goede buur. Hij leerde ze Frans, maar sprak na enige tijd ook hun taal. Hij legde ze uit hoe hij de grond bewerkte, terwijl de indianen hem leerden hoe een mens van het oerwoud en het wild kon leven.

Het opperhoofd van de Berenstam en opa Pa'bert werden beste vrienden. Om de Fransman een plezier te doen, liet *sagamo* Henri zichzelf en zijn volk dopen door de katholieke pastoor die regel-

matig de nederzetting bezocht. In ruil maakte hij zijn vriend weg-
wijs in de indiaanse godenwereld.

Zo leerde iedereen van iedereen.

Ti'bert holde naar een weide aan de rand van het woud waar zijn
vader met een grote houten vork het laatste hooi van het seizoen
op hoopjes legde.

'Er komt een Engels schip aan!' riep hij al van ver.

Albert Druon bleef stilstaan met de vork in de lucht. Al maanden
verwachtte hij dit rampzalige nieuws en toch verraste het hem nog.
Hij liet de hooivork zakken.

'Heb je je moeder al gewaarschuwd?' vroeg hij.

'Pa'bert zei dat ik eerst naar jou moest komen.'

Zijn vader reageerde korzelig: 'Om het even! Ren naar huis en
zeg je moeder dat ze alles inpakt. Nu!'

'Maar ik moet nog naar Antoine!'

'Haast je dan! En luister goed naar wat hij van plan is.'

Het indianenkamp lag op een open plek tussen het loofbos en het
donkere sparrenwoud op de kruin van de heuvel. Het gonsde er
van de bedrijvigheid. Nabij de wigwams, zoals de Mikmaq hun
grote tenten van wilgenbast noemden, smeulden tientallen vuurtjes om het wild te roken dat de jagers in het bos gevangen hadden.
Overal waren huiden op droogrekken gespannen.

Mannen en vrouwen waren zo druk in de weer en hun spelende
kinderen maakten zoveel herrie dat ze nauwelijks oog hadden
voor de blanke jongen.

Henri's zoon Antoine zat in kleermakerszit voor zijn wigwam.
Ooit zou hij zijn vader als stamhoofd opvolgen. In afwachting was
hij de leider van de jagers en baas van de krijgers in tijden van oorlog of onrust.

Met trage, precieze halen van zijn jachtmes schraapte hij dunne
reepjes hout van een kaarsrecht takje.

'De Engelsen komen', hijgde Ti'bert. '*Sagamo* Henri en Pa'bert hebben hun schip in de verte gezien.'

Antoine liet de half afgewerkte pijl tussen de houtkrullen op de grond vallen. Zijn vuist balde zich om het mes.

'Dat is slecht nieuws, kleine Albert', gromde hij.

'We trekken naar onze vrienden in het noorden', zei Ti'bert met een verstikte stem.

Antoine knikte. Hij was op de hoogte van de noodplannen die Pa'bert en zijn mannen hadden gesmeed.

'De stam van de Beer zal ook weggaan', bromde hij. *Sagamo* Henri wil niet bij de Engelsen wonen. Ze zullen de Mikmaq als slaven behandelen.'

'Kunnen we samen reizen?'

Antoine sprong overeind. Hij was bijna dubbel zo groot als Ti'bert. Zijn forse bovenlijf en gespierde benen waren getaand door de zon. In de zomer droegen de jagers van de Mikmaq alleen een lendendoek, hoe vurig de Franse missionaris ook gepreekt had tegen wat hij de zonde van de naaktheid noemde.

'Neen. We zullen elk onze eigen weg gaan', zei Antoine. 'De Fransen zullen een onderkomen vinden bij hun eigen mensen. De stam van de Beer zal zijn winterse jachtgronden opzoeken, waar geen Engelsen zijn.'

Hij wachtte even en voegde eraan toe: 'En waar geen Irokezen ronddolen.'

Ti'bert kreeg kippenvel. De Irokezen waren een volk uit het oosten. De Engelsen gebruikten hen als hulptroepen bij de verovering van het land. De beenharde Irokese krijgers waren even gevreesd bij de Mikmaq als bij de Fransen. Hoewel beide indianenvolkeren elkaars taal begrepen en veel gebruiken deelden, was de ene groep even bloeddorstig en wreed als de andere vreedzaam was.

'Jullie hebben geweren', stelde Antoine de jongen gerust. 'Je vader en je ooms zijn scherpschutters. Zij kunnen de Engelsen en de Irokezen wel op een afstand houden tot jullie veilig bij je vrienden zijn.'

'En de Mikmaq?' vroeg Ti'bert.

Antoine haalde zijn schouders op.

'Pa'bert heeft ons geweren en kruit geschonken', zei hij. 'Onze jagers zijn meesters met boog en pijl. We zullen iedereen die het waagt ons aan te vallen, een lesje leren. Zelfs de Irokezen als het moet.'

Een meisje kwam uit de wigwam. Antoines dochter. Ze heette Zoete Bes, maar zoals iedereen van haar volk had ze ook een christelijke voornaam: Eloïse. Ze was geboren in dezelfde nacht als Ti'bert.

De trotse opa's Pa'bert en Henri hadden pastoor Didier hun kleinkinderen met hetzelfde water laten dopen, maar daarna hadden de Fransen en de Mikmaq op hun eigen manier gefeest. Vrienden respecteren immers elkaars gebruiken, net zoals ze het heel gewoon vinden dat kinderen die in dezelfde nacht geboren zijn, met elkaar optrekken.

'Een mooi paar. Vrienden voor het leven', had Pa'bert gezegd.

'Een paar voor het leven?' had *sagamo* Henri gevraagd met een ondeugend lichtje in zijn ogen.

'Wie weet worden we nog familie', had Pa'bert geantwoord met een stoute grijns op zijn gezicht.

Henri had bedachtzaam geknikt, zoals hij in de volgende jaren was blijven knikken wanneer hij de Franse jongen en het indiaanse meisje samen zag. Waarom zou hij zich verzetten tegen de natuur, die de kinderen bij elkaar had gebracht?

Ti'bert stond als aan de grond genageld. Zoete Bes droeg een korte hertsleren jurk en leren laarsjes tot net boven haar enkels. Hagelwitte tanden in een rond, bruin gezicht. Haar ogen glansden als vochtige, zwarte kooltjes. Zo had hij haar nog nooit gezien. Niet langer gekleed als de kwajongen met wie hij jarenlang gespeeld had, maar als een heuse jonge vrouw!

Het meisje bloosde toen ze merkte wat voor indruk ze op haar vriendje maakte. Ti'bert sloeg bedeesd zijn ogen neer. Hij wilde iets zeggen, maar zijn mond voelde ineens zo droog aan dat hij geen woord kon uitbrengen.

In opperste verwarring keek hij naar Antoine. De man grijnsde, zijn mondhoeken gingen omhoog en zijn wenkbrauwen maakten hoge boogjes boven zijn ogen.

'Is... Wat... Ik...' stamelde Ti'bert.

Antoine knikte en wees met zijn kin naar de tentopening. Half verborgen in het duister sloeg de moeder van Zoete Bes het tafereel gade. Ti'bert had geen verdere uitleg nodig.

Zijn vriendinnetje was gekleed als een toekomstige bruid. Voortaan was ze geen loslopend meisje meer, maar een jonge vrouw die zich wilde voorbereiden op het huwelijk.

'Ik wist niet...' begon hij en weer kon hij zijn zin niet afmaken.

'Wat weet je niet? Je bent toch ook geen kind meer?' vroeg Antoine.

'Neen... Maar...'

Antoine gaf hem een vaderlijke klap op de schouder. Ti'bert bloosde nog harder. Antoine duwde hem zachtjes in de richting van zijn dochter.

Ti'bert vocht tegen gevoelens die hij nog nooit gekend had.

'Ik wil niet dat je verdrietig bent', fluisterde Zoete Bes.

Ze had natuurlijk gehoord wat de jonge Fransman en haar vader besproken hadden.

'Misschien zullen we elkaar nooit meer zien', antwoordde Ti'bert.

Ze schrok van zijn rauwe stem. Hij vocht tegen zijn tranen. Hij wilde niet dat ze het zag. Mannen huilen niet.

Antoine redde Ti'bert en zijn dochter van nog meer verlegenheid.

'We zullen elkaar heus nog wel tegenkomen, kleine Albert', zei hij kordaat. 'Het land van jullie Franse broeders grenst aan de machtige stroom die de blanken de Saint-Laurent noemen. Daar eindigen ook onze jachtgronden. Het is een goede plek om elkaar op een mooie dag weer te ontmoeten.'

'Ja', zei Ti'bert, want meer kreeg hij niet uit zijn mond.

Antoine kneep met beide handen in zijn schouders.

'Ga nu. Je familie wacht op je', zei hij.

Ti'bert draaide zich om. Hij wilde vluchten voor de emoties hem overmanden, maar Zoete Bes hield hem tegen. Ze nam zijn handen in de hare. Haar ogen glansden als meren in het maanlicht. Ze boog zich naar hem toe. Ti'bert voelde paniek opkomen.

'Ik...' begon hij, maar ze legde hem het zwijgen op.

'Sst!' deed ze met haar wijsvinger tegen zijn lippen.

Voor hij kon reageren, zoende ze hem op de wang. Onhandig liet hij haar begaan.

'We zien elkaar terug bij de grote rivier', fluisterde ze.

'Ik moet gaan', antwoordde hij botweg.

Als in een roes rende hij de heuvel af. Hij durfde niet achterom te kijken, bang dat Antoine en Zoete Bes zouden zien dat hij schreide als een baby.

Toen Ti'bert thuiskwam, waren de voorbereidingen voor het vertrek volop aan de gang. Twee muilezels waren al beladen met tenten, dekens en kleren. Vier dieren wachtten met pakzadels waaraan grote manden waren opgehangen. Zijn moeder laadde er proviand in, zijn vader sleepte werktuigen en andere nuttige spullen aan.

Hun gezichten stonden strak. Verdrietig omdat ze hun levenswerk zomaar moesten achterlaten. Woedend voor het onrecht dat hun werd aangedaan. Bang voor wat de toekomst ging brengen. Ti'berts broertjes en zusjes keken zwijgend toe, even boos en bang en verdrietig als hun ouders.

'Ga Pa'bert helpen inpakken', beval Albert.

Sinds zijn vrouw gestorven was, woonde de stamvader alleen in zijn grote huis. Ti'bert trof hem aan in de voorraadkamer, waar hij zakken vulde met voedsel voor een paar weken. In een mooi bewerkte lederen tas had hij het jachtgerei verpakt waarmee hij in zijn onderhoud zou voorzien.

'Meer hoef ik niet', zei de oude man.

Ti'bert keek naar de spullen die zijn opa blijkbaar wilde achterlaten. Stuk voor stuk kostbare herinneringen!

'Maar opa...' wilde hij protesteren.

'Ik ben hier aangekomen met niets en ik vertrek met niets', onderbrak Pa'bert hem. 'Een oude man heeft niet veel bagage nodig voor zijn laatste reis.'

Hij gebaarde dat Ti'bert de zakken op het paard mocht laden. Het was duidelijk dat hij geen tegenspraak duldde.

'De vrouwen en kinderen moeten onmiddellijk vertrekken', beval de oude man. 'Charles en Ernest ook. Ik en de andere mannen blijven achter om te zien wat de Engelsen in hun schild voeren.'

Zijn hand streelde de lange loop van zijn speciale jachtgeweer. Het lag op tafel naast de lederen tas, een propvolle kruithoorn en een zakje met genoeg loden kogels om een paar dozijn vijanden te doden.

'Dan blijf ik ook', antwoordde Ti'bert vastberaden.

Zijn grootvader knipperde met zijn ogen. Hij was het niet gewend dat jongens hem tegenspraken.

'Waar is dat goed voor?' blafte hij.

'Ik zal bij je zijn als je hulp nodig hebt.'

'Waarom zou ik hulp nodig hebben?'

'Je bent oud.'

Pa'bert grinnikte.

'De mannen zullen wel voor me zorgen als het nodig is. Albert. Louis. Hugues. Arnaud. Ze zijn dapper en slim. Ze hebben je hulp niet nodig. Ga. En spreek me niet tegen.'

Hij keek een laatste keer rond in de woonkamer. Toen wendde hij zijn ogen af en liep vastberaden de deur uit.

'Kom', zei hij. 'Ga!'

'En als er iemand nieuws naar de vrouwen moet brengen?' probeerde Ti'bert. 'Ik heb snelle benen. Ik loop vlugger dan papa of mijn ooms.'

Pa'bert monsterde zijn kleinzoon. Voor het eerst viel hem op hoe de knaap gegroeid was. Groot. Gespierd. Snelle benen, maar ook een vinnige tong en een snel verstand. Met een vermoeide glimlach gaf hij toe.

'Goed. Blijf. Houd je altijd op de achtergrond. En maak je uit de voeten als het gevaarlijk wordt. Heb je dat begrepen?'

EEN PIRAAT MET VEREN

Pa'bert tuurde door zijn oude verrekijker naar de Engelse brik. Tot zijn opluchting bespeurde hij nergens de rode uniformjassen van Engelse soldaten.

Een opvallende verschijning op de brug trok zijn aandacht. Naast de roerganger stond een man in een veelkleurig pak. Op zijn hoofd pronkte een hoed met een overdreven brede rand, versierd met een bos veren.

'Mm', deed Pa'bert en hij gaf de verrekijker aan Albert. 'Herken je de nar?'

Zijn zoon monsterde op zijn beurt vaartuig en bemanning.

'Dat is Macfarlane! En het is zijn schip. De Fyfe.'

'Macfarlane, de schurk!' ontplofte Pa'bert. 'De man is een bandiet en een piraat. Wat is hij nu weer van plan?'

Zonder vaart te minderen schoot de Fyfe rakelings langs de zandbanken de baai binnen. Even zag het ernaar uit dat het schip recht op de moerassige oever voor de nederzetting afstevende. Toen gooide de stuurman met geweld het roer om.

Het was een roekeloos manoeuvre. De brik helde vervaarlijk over. Haar zeilen fladderden als wasgoed in een storm. Masten en ra's kreunden. Bootsmannen brulden bevelen. Matrozen vlogen door het want om vliegensvlug het zeilwerk te reven.

Het vaartuig kwam weer rechtop te liggen. Het anker plonsde in het water voor de stroming van de rivier het schip kon meesleuren.

'Knap werk', vond oom Hugues.

Voor hij getrouwd was met de oudste dochter van Pa'bert, had hij zijn kostje verdiend als zeeman.

Ti'bert had zich achter zijn vaders boerderij verborgen. Kort voor de brik voor anker was gegaan, had hij de achterhoede van de familiekaravaan zien verdwijnen in de wilgenbosjes langs de rivier. Hij haalde opgelucht adem. Het grootste deel van de familie bevond zich alvast veilig buiten het gezichtsveld van de Engelsen.

De scheepslui lieten een sloep te water. Zes mannen sprongen er-in, gevolgd door Macfarlane. Hij nam wijdbeens plaats op de kleine achterplecht en bleef zo staan terwijl zijn matrozen naar het strand roeiden. De veren op zijn hoed wapperden als wimpels in de wind.

Pa'bert ging de bezoekers niet tegemoet. Deze lui waren niet welkom en dat mochten ze voelen.

'Wat gebeurt er op het schip?' vroeg hij aan Albert, die het vaartuig met de kijker in de gaten hield.

'Twee geschutsluiken staan open. Ik denk dat ze de kanonnen aan het laden zijn.'

'De schoften.'

'Zolang Macfarlane aan land is, durven ze toch niet te schieten', veronderstelde Arnaud. 'Ze weten dat we hem bij het minste onraad kunnen afknallen als een dolle hond.'

Pa'bert en zijn mannen hadden hun geladen geweren binnen handbereik verstopt. Het waren oude wapens, maar zo goed onderhouden dat ze er nog als nieuw uitzagen. Albert en Louis waren ervaren jagers en volleerde scherpschutters. Ze konden met één schot een wolf of zelfs een poema neerleggen van op meer dan honderd passen. Voor hen zou het een koud kunstje zijn Macfarlane en zijn handlangers uit te schakelen, lang voor de kanonniers op de Fyfe hun stukken konden richten. Daarvoor was immers een proefschot nodig en dat vloog toch altijd een eind de verkeerde richting uit.

Macfarlane klauterde eerst het pad langs de klip op. De zes matrozen volgden op enkele passen afstand.

'Meneer Druon!' riep hij van ver.

'Wat moet je, Macfarlane?'

'Ik kom zaken met je doen, Druon. Wat anders zou een eerbare handelaar naar deze godvergeten plek voeren?'

Hij sprak Frans met een zware Schotse tongval.

'Je bent geen handelaar en eerbaar ben je nog minder', antwoordde Pa'bert.

'Foei, meneer Druon, let op je woorden! Straks voel ik me nog beledigd!'

'Je beledigt me door hierheen te komen, Macfarlane. Je bezoek is erger dan duizend scheldwoorden.'

De Schot liet zich niet uit het lood slaan, maar stapte resoluut op de Fransen af. Toen hij het tuinhek wilde openmaken, waarschuwde Pa'bert hem: 'Dat is ver genoeg, Macfarlane.'

'Toe nou, meneer Druon. Ik heb me de hele dag verkneukeld bij de gedachte dat we over zaken konden babbelen bij een beker van je uitstekende appelwijn.'

'Ik serveer geen cider aan bandieten die me met een kanon onder schot houden', antwoordde Pa'bert.

Macfarlane keek instinctief over zijn schouder naar het schip. De stukken waren in positie gebracht, hun vuurmonden op de Franse nederzetting gericht. Hij haalde zijn schouders op.

'Vat het niet persoonlijk op, beste Druon', zei hij. 'De laatste tijd heb ik wat aanvaringen gehad met opstandige Fransen. Ik hoop dat je het me niet kwalijk neemt dat ik een beetje voorzichtig ben?'

Pa'bert staarde de Schot en zijn mannen aan met een gezicht als een donderwolk. De matrozen hielden hun handen op hun rug. Hadden ze verborgen wapens bij zich? Wachtten ze op een teken van hun baas om hun pistolen of dolken te trekken?

'Waarom mag ik niet weten wat je knechten in hun handen houden?' vroeg hij.

Macfarlane maakte een gebaar naar het zestal. Ze lieten hun lege handen zien.

'Ik breng slecht nieuws', zei Macfarlane toen. 'Zeer tegen mijn zin, als je het me vraagt. Kunnen we er niet als deftige mensen over praten in plaats van als wilden tegenover elkaar te staan?'

'Waarom moet jij me slecht nieuws brengen?'

'Ik moet het niet, meneer Druon, maar ik kan het ook niet helpen dat ik iets opgevangen heb dat jou zal interesseren.'

'Spreek op, rotzak.'

'Meneer de gouverneur heeft een schip gevorderd om een compagnie soldaten naar je nederzetting te sturen. Je weet wat dat betekent?'

Pa'bert antwoordde niet.

'De troepen zullen morgen, ten laatste overmorgen aankomen', ging Macfarlane verder. 'De kapitein heeft zijn mooiste bijbel meegenomen zodat je in de beste omstandigheden de eed van trouw aan zijne majesteit kunt afleggen. Helaas weet ik ook dat hij in de waan verkeert dat je dat zult weigeren. Daarom heeft hij zijn soldaten voorzien van de nodige wapens om jou tot gehoorzaamheid te dwingen.'

'Hou op met je ronkende gezwets, Macfarlane. Zeg wat je van me wilt en hoepel op.'

'Je bent een Franse koppigaard, Druon, maar je bent niet dom. Je bent zo koppig dat je in staat bent je hoeves in brand te steken zodra je met die kijker van jou Engelse uniformen ziet. Maar je bent volgens mij ook slim genoeg om je levenswerk te sparen wanneer ik je de kans bied je hebben en houden aan mij toe te vertrouwen. Voor een redelijk bedrag, dat spreekt vanzelf.'

'Je bent een duivel', siste Pa'bert.

'Misschien, maar wel een duivel met een mooie som geld op zak', antwoordde Macfarlane onbewogen. 'En met een schip om jou met vrouwen en kinderen veilig naar de Franse kolonie in Québec te vervoeren.'

'Vervoeren?' snauwde Pa'bert. 'Ontvoeren, bedoel je!'

'Je stelt mijn geduld op de proef', dreigde Macfarlane.

'Volg dan mijn raad. Roei terug naar je schip en laat je nooit meer zien.'

'Is dat je laatste woord, oude man?'

'Ja.'

Macfarlane draaide zich om en liep naar de matrozen.

'Pas op!' schreeuwde Ti'bert vanuit zijn schuilplaats.

Pa'bert en zijn mannen hadden echter ook al gemerkt dat de matrozen vliegensvlug de pistolen hadden getrokken die ze de hele tijd achter hun rug in hun broekband verborgen hadden gehouden. Het groepje Fransen stoof uit elkaar en greep in de vlucht de klaarstaande geweren.

De matrozen schoten eerst, maar omdat ze geen tijd hadden genomen om te mikken, vlogen hun kogels verloren.

De Fransen mikten koelbloedig. Macfarlane viel meteen dood neer met een kogel in het hoofd. Vier matrozen ploften haast tegelijk levenloos op de grond. De twee overlevenden zetten het op een lopen zonder naar hun kompanen om te kijken. Ze waren nog geen vijftig stappen ver of Albert en Arnaud haalden hen al in. Ze maaiden de schurken neer met hun geweerkolven en sneden ze genadeloos de keel over. Dat hadden ze van de Mikmaq geleerd, want hoe vredelievend de indianen ook waren, ze gaven verraderlijke vijanden geen pardon.

Op het schip klonk het bevel: 'Vuur!'

De kanonnen bulderden. De kogels landden zonder schade aan te richten op meters van Pa'berts huis.

'Weg! Weg!' schreeuwde de oude man, want hij vreesde dat het volgende salvo wel raak zou zijn.

Zo snel als zijn oude benen het toelieten, trachtte hij uit de gevarenzone te ontsnappen. Albert en Arnaud grepen hem onder zijn oksels en sleurden hem mee. Twee kanonskogels troffen het grote huis. Brokstukken en houtsplinters vlogen in het rond. Ti'bert drukte zich plat tegen de grond. Toen hij weer opkeek, zag hij zijn vader en oom op de grond zitten met Pa'bert levenloos tussen hen in.

'Ren voor je leven!' schreeuwde zijn vader.

Hij tilde het lichaam van de oude man op zijn schouders en zette het op een lopen. De kanonnen bulderden weer. De kogels boorden zich weer in het grote huis, maar de mannen waren nu ver genoeg om niet door brokstukken geraakt te worden.

'Is opa dood?' hijgde Ti'bert.

'Zwijg en ren voor je leven!' herhaalde Albert.

Hij wees naar de rivier, waar een nieuw gevaar opdook. Onder de rook van de kanonnen maakten een paar roeibootjes zich los van de Fyfe. Een dozijn op wraak beluste piraten had de achtervolging ingezet.

'We moeten hulp vragen aan de Mikmaq', zei Ti'berts vader.

'*Sagamo* Henri vecht niet tegen blanken', reageerde Hugues.

'Wel als hij hoort dat de Engelsen zijn vriend vermoord hebben.'
Albert maakte een einde aan de discussie.

'Genoeg gepraat! We hebben geen keuze. Alleen Antoine en zijn
krijgers kunnen ons redden.'

Op de kampplaats van de stam van de Beer troffen ze echter
geen mens meer aan. Verdord gras verraadde waar de wigwams
hadden gestaan. Van de vuren bleven alleen hoopjes smeulende as
over. Brede sporen naar het woud wezen welke weg de stam genomen had.

'Ze kunnen nog niet ver zijn', veronderstelde Albert. 'Ze hebben
zeker de kanonnen gehoord. Ze weten dat we in nood verkeren.
Ti'bert! Ren zo hard als je kunt! Wij verstoppen ons in het bos en
houden de schurken in bedwang tot je terugkeert met hulp.'

ROKEND PUIN

Het spoor van de indianen volgen, was niet moeilijk. Ze waren het oerwoud ingetrokken langs paden die hun voorouders sinds de oudste tijden gebruikt hadden op hun jaarlijkse trek naar het zomerkamp.

De stam inhalen, was wel moeilijk. Ook al rende Ti'bert zich de ziel uit het lijf, hij leek geen meter dichter bij de karavaan te komen.

Vanuit de richting van het verlaten kamp weerklonken geweerschoten. De rovers hadden blijkbaar de aanval ingezet.

Het geluid zette Ti'bert tot nog meer spoed aan. Op handen en voeten klauterde hij een steile helling op. De adem schuurde in zijn keel. Sterretjes dansten voor zijn ogen. Hij gaf het niet op, maar holde in volle vaart de heuvel aan de andere kant af. Om niet in zwijm te vallen, stak hij zijn hoofd in het ijskoude water van een beek.

'Ti'bert?'

Antoine en een handvol krijgers kwamen naar hem toe. Ze waren gewapend met geweren, bogen en strijdbijlen.

'Pa'bert... Dood... Engelsen... Piraten... Help...' stamelde hij.

Antoine liet zien dat hij inderdaad de toekomstige *sagamo* was. Met een vastberaden gebaar beval hij zijn mannen hem te volgen om de belaagde Fransen te redden.

Ti'bert probeerde de krijgers bij te houden, maar nog voor hij halfweg op de heuvel was, waren de Mikmaq al over de top. Het geknal van geweerschoten klonk steeds dreigender. Hij perste alle krachten uit zijn lijf om niet nog verder achterop te raken.

Toen hij eindelijk het licht van de bosrand zag, was het strijdlawaai verstomd. Door een opening in het struikgewas zag hij piraten vluchten. Antoine en zijn mannen zaten hen op de hielen. Een Engelsman struikelde en rolde over de grond. In volle vaart, zonder zelfs maar te vertragen, sloeg een Mikmaq hem met een strijdbijl de schedel in.

'Papa!' schreeuwde Ti'bert.

Er kwam geen antwoord. In paniek doorzocht hij het vertrappelde struikgewas. Het eerste lichaam dat hij vond, was dat van Pa'bert. Voor ze de strijd met de piraten aangingen, hadden zijn zoons nog gepoogd hem onder afgebroken takken te verbergen.

Slechts enkele stappen verder stootte Ti'bert op Hugues, Louis en Arnaud. Zijn ooms staarden hem aan met dode, gebroken ogen. Bloed vloeide uit talloze wonden, veroorzaakt door dolken of zwaarden.

'Papa?' snikte hij.

Overal vond hij gebroken takken, bloedvlekken op bladeren, stille getuigen van de vreselijke worsteling die zich had afgespeeld. En toen stond Ti'bert ineens voor het levenloze lichaam van zijn vader. Zijn hemd zag rood van het bloed en in zijn voorhoofd gaapte een grote snee. Het was alsof de aarde onder zijn voeten trilde en de hemel in brand stond. Hij zakte op zijn knieën en sloeg zijn armen om zijn vader heen.

'Papa', fluisterde hij. 'Papa...'

Hij stamelde het woord nog altijd toen Antoine terugkeerde van de moordpartij die hij en zijn mannen onder de piraten hadden aangericht. De Mikmaq legde zijn hand op Ti'berts schouder. Met een zachte stem fluisterde hij: 'Kom, kleine Albert, we gaan je moeder op de hoogte brengen.'

Willoos liep de jongen met hem mee. Wat kon hij anders doen?

'Iedereen is dood', snikte hij. 'Iedereen. Iedereen. Waarom ik niet?'

'Omdat je moeder je nodig heeft, kleine Albert', antwoordde Antoine. 'Je moeder en de kinderen en je tantes en je nichten en neven. Zij hebben je nodig, want jij gaat de plaats van je vader innemen. Vergeet dat niet.'

'Hoe kan ik hen helpen?' mopperde de jongen. 'Hoe kan ik iets voor hen doen als zelfs mijn vader en mijn ooms onze vijanden niet konden tegenhouden?'

'Je kunt hen helpen door dapper te zijn op weg naar je vrienden in het noorden', zei de indiaan. 'Je bént dapper. Dat besef je toch?'

Ti'bert kon niet antwoorden.

Zodra Ti'bert en Antoine hun het nieuws van het vreselijke bloedbad gebracht hadden, namen Charles en Ernest resoluut de leiding. Alleen enkele kleine jongens bleven met de pakdieren en het vee achter in het wilgenbos. De rest van de familie keerde zo snel ze kon terug om afscheid te nemen van Pa'bert en de vier mannen.

De broers kozen een passende begraafplaats: het tuintje voor Pa'berts huis met uitzicht op de polders en de baai. Terwijl de rook van de smeulende ruïne in hun keel prikkelde, hakten ze kuilen in de bodem, zo diep dat wilde dieren de doden niet konden opgraven. Ze maakten kruisen van gespleten boomstammetjes en in het witte hout brandden ze met een gloeiend mes de namen van de overledenen.

Albert Druon sr.
Albert Druon jr.
Louis Druon
Hugues Hébert
Arnaud Dutronc

De Fransen en een grote groep speciaal voor de begrafenis teruggekeerde Mikmaq knielden samen in het gras. Met het hoofd ontbloot en de handen gevouwen zegden ze een gebed waarin ze de doden prezen voor hun goedheid en moed. Ze spraken de hoop uit dat de dappere mannen zouden genieten van alles wat het hemelse paradijs aan goede katholieken te bieden had.

De overvallers hadden niet naar hun doden omgekeken. Direct na de mislukte aanval was het schip haastig weggevaren. De Fransen slingerden vol misprijzen de lijken van de piraten in ondiepe kuilen, haastig gegraven in grond die hun stamvader nooit had willen bewerken omdat hij te onvruchtbaar was. Het enige dat oom Charles en ook Ernest de schurken gunden, was een haastig gebed, afgesloten met een slordig kruisteken. *Sagamo* Henri ramde een stok in Macfarlanes terp en daarop plantte hij als teken van spot en misprijzen diens opzichtige hoed.

En nu? De mensen keken elkaar vragend aan. Charles en Ernest hadden maar één blik nodig om uit te maken wat ze van plan waren.

'Wat laten we achter voor de Engelsen?' vroeg Charles.

'Niets!' riep zijn broer.

Er klonk goedkeurend gemompel.

'Maak fakkels', beval Charles.

En zonder dat hij nog een bevel hoefde te geven, staken mannen en vrouwen de nederzetting in brand. Gegrepen door blinde razernij, opgehitst door hun verdriet, opgejaagd door woede en wanhoop, renden ze als razende duivels van het ene gebouw naar het andere. Hysterisch huilend en tierend offerden ze hun wereld aan het vuur. Alles moest in vlammen opgaan! De gehate Engelsen mochten alleen nog verschroeide aarde aantreffen. Van de huizen waarin ze hun hele leven hadden willen doorbrengen, mocht alleen rokend puin overblijven. De stallen voor het vee dat hun welvaart had moeten brengen, moesten tot as vergaan. Zelfs de schuren, vol hooi, stro en graan, spaarden ze niet. Alles, alles, alles moest het vuur verteren! Hijgend, uitgeput, verteerd door hun blinde razernij, stonden ze als in trance naar de brullende vuurzee te staren.

Oom Charles ontwaakte eerst uit de nachtmerrie. Met de laatste kracht die hij nog kon opbrengen, slingerde hij de fakkel in een grote boog weg.

'We gaan!' riep hij. 'Ons werk is volbracht.'

'We gaan', herhaalde oom Ernest.

'We gaan, we gaan, we gaan', murmelden de anderen.

Sagamo Henri nam met tranen in zijn ogen afscheid.

'Ik ben een oude man', zei hij. 'Jullie zijn nog jong. In het noorden zullen jullie opnieuw rijkdom en geluk vinden. Ik leid mijn volk naar ons eigen land waar het water van de grote rivier dat van de oceaan ontmoet. Daar zal ik de tocht naar de hemel aanvatten, waar mijn vriend Pa'bert op me wacht.'

'Hij zal naar je zitten uitkijken', antwoordde Charles met een krop in de keel. 'Op een halve boomstam op de top van een klip.'

'Waar anders?' antwoordde Henri met een knipoog.

Ti'bert had vruchteloos naar Zoete Bes uitgekeken. Het was niet aan Antoines aandacht ontsnapt.

'Ze is bij de vrouwen achtergebleven,' zei hij. 'Wil je dat ik haar je groeten overbreng?'

Ti'bert knikte. En bloosde. Antoine legde zijn handen op zijn schouders.

'Ze heeft gezegd dat jullie elkaar zullen terugzien', fluisterde de grote krijger.

'Ja...'

'Je hebt een lange reis voor de boeg, kleine Albert. Zo lang dat je een man zult zijn wanneer je in je nieuwe land aankomt. Vergeet niet ons te komen bezoeken. Ja?'

Hij omhelsde de Franse jongen. Ti'bert rilde. Het was alsof hij de kracht van de krijger in zijn lichaam voelde stromen.

'Dank je, Antoine', fluisterde hij.

Daarna keerde hij het brandende dorp de rug toe en vatte hij de bittere tocht naar het noorden aan.

DE MOEILIJKE WEG

Gelegenheid om in stilte te rouwen kregen de families niet. Ze waren geen ogenblik te vroeg vertrokken. Toen ze het wilgenbosje in de bocht van de rivier introkken, dook aan de einder een driemaster op. Dat kon alleen de Engelse oorlogsbodem zijn waarover Macfarlane gesproken had.

Omdat het schip een flink eind stroomopwaarts kon varen, konden de Engelsen hen moeiteloos de pas afsnijden. Ernest en Charles beslisten daarom de weg langs de rivier te vermijden. Meteen viel ook het plan in duigen om grote stukken van de reis op vlotten af te leggen.

De route door het binnenland was veel zwaarder. De groep zou wekenlang over steile, met reusachtige sparrenwouden begroeide heuvels moeten klauteren. Op het eerste gezicht leek het ruige terrein ondoordringbaar, maar gelukkig kenden de broers het oerwoud als hun broekzak. Ze leidden de karavaan door een wirwar van paden die Mikmaq-jagers open hadden gehakt en over wildbanen die haast even oud waren als de bergen en de bossen.

Niemand kreeg tijd om te piekeren over de geliefden die hij had begraven. Iedereen had zijn handen vol. Waar de weg te smal was voor de pakdieren, moesten de mannen gangen hakken. Moeders sleurden hun vermoeide, zeurende kleine kinderen over keien en omgevallen boomstammen. Pakdieren en vee moesten op steile hellingen stevig aangepord worden, voortgejaagd door smalle gangetjes en dan weer in toom gehouden waar het bos ze ruimte bood om van het pad af te wijken.

Pas 's avonds, nadat ze hun tenten opgeslagen hadden, kwamen de herinneringen. Dicht bij elkaar rond het vuur luisterden ze naar gebeden die Charles en Ernest om beurten voorlazen uit het grote kerkboek van Pa'bert.

Daarna bad Ti'berts moeder Angeline de rozenkrans. Met een raspende stem, verstikt door het verdriet en verzwakt door vermoeidheid, zegde ze de vertrouwde gebeden op. De anderen vielen in en allen samen baden ze voor de zielenrust van de overledenen. Tot slot smeekten ze dat ze behouden de Franse kolonie in het noorden zouden bereiken.

Ti'bert luisterde met gesloten ogen naar het geknetter van de vlammen en de murmelende stemmen. Voor het eerst sinds hij Pa'bert had zien sterven, voelde hij zijn angst en wanhoop wegebben. En later, wanneer hij gewikkeld in een wollen deken de slaap probeerde te vatten, klonken in zijn droom de woorden van Antoine.

'Je moet dapper zijn, kleine Albert.'

'Aan het einde van de reis zul je een man zijn, kleine Albert!'

Soms droomde hij dat Zoete Bes hem opwachtte op de oever van de grote stroom.

Van ver op zee had kapitein Charles Wilson de rookpluimen gezien. Lang voor zijn oorlogsschip in de baai voor anker ging, wist hij dat hij alleen nog puin en vernieling zou aantreffen.

Hij vloekte. Zijn reis was vergeefs geweest. In plaats van de gouverneur de kostbare hoeves van de Druons als oorlogsbuit aan te bieden, moest hij zijn baas melden dat hij alleen ruïnes en as had aangetroffen.

'Vervloekte Fransen', foeterde hij.

Zijn woede werd nog groter toen hij vijf verse graven met nette kruisen vond en wat verderop nog eens een stuk of vijftien hoopjes aarde. Wie onder die slordige terpen begraven lag, kon hij gemakkelijk raden, want op één ervan wapperde de opzichtige hoed met veren die hij maar al te goed kende.

'De bende van Macfarlane!' brulde kapitein Wilson. 'De schurk heeft geprobeerd ons voor te zijn!'

'Dan heeft hij zijn verdiende loon gekregen', zei een sergeant om de woede van zijn overste te bedaren.

'Het is zijn schuld dat de boeren hun nederzetting in de fik hebben gestoken', foeterde de kapitein.

'De Fransen hebben zich in elk geval flink geweerd', vond de sergeant. 'De bandieten van de Fyfe heten geweldige vechtjassen te zijn, maar ze hebben wel het onderspit moeten delven!'

'Wat koop ik daarvoor?' sakkerde kapitein Wilson.

Dat er twintig mensen omgekomen waren, liet hem koud. Veel erger vond hij dat de overlevende Druons ontsnapt waren om zich elders te vestigen. Elders, waar ze de Franse kolonies sterker zouden maken. Iets wat de Engelse gouverneur ten koste van alles had willen voorkomen.

De kapitein beval zijn manschappen naar begraven kostbaarheden te zoeken. Het enige dat de speurtocht opleverde, was de ontdekking dat een groot indianenkamp hoger op de heuvel haastig ontruimd was en dat de bewoners het bos waren ingetrokken. Andere sporen, dichter bij de rivier, gaven de indruk dat de Franse kolonisten van plan waren de loop van de rivier te volgen.

'De Fransen en de Mikmaq trekken apart naar het noorden', besloot de indiaanse gids die de Engelse soldaten begeleidde.

'Achtervolgen we hen?' vroeg de sergeant.

'De indianen zijn een zorg voor later', besliste de kapitein. 'We versperren de rivier om de Fransen te dwingen het oerwoud in te trekken. Dan jagen we onze Irokezen achter hen aan om korte metten met hen maken.'

Toen Charles en Ernest de grenzen van hun jachtgebied bereikten, werd de tocht nog moeilijker. Voor dag en dauw moest een van de ooms voorop om een weg door het oerwoud te zoeken. Pas wanneer hij terug was, kon de groep zich in beweging zetten. Vaak moest de karavaan na een paar uur weer stoppen om niet op een onherbergzame helling door de duisternis verrast te worden.

Ti'bert mocht met zijn ooms mee de wildernis in. Zijn moeder had het jagerspak van zijn vader aangepast. Ze had de pijpen van de stevige leren broek ingekort. Het soepele jasje van hertsleer had ze ingenomen, zodat het niet als een lompe zak om zijn schouders hing. In de brede gordel met kogeltasjes, een holster voor het jachtmes en een lusje voor de kruithoorn had ze een extra gaatje gepriemd.

'Nu zie je er echt uit als een grote man', had ze gezegd. 'Gedaan met de kleine Albert.'

'En toch wil ik verder Ti'bert heten, mama.'

'Natuurlijk.'

Angeline gaf hem een tikje tegen de wang.

'Maak voort. Oom Ernest wordt ongeduldig.'

De families hadden de nacht doorgebracht bij een vijver in een diep dal. Een beekje stroomde vanuit de plas naar de grote rivier. Hoe groot de verleiding ook was om dat gemakkelijke pad te volgen, toch koos Ernest resoluut voor de steile berghelling.

'De Engelsen zijn zeelui', zei hij. 'Ze dringen maar zo ver het land binnen als boten hen kunnen dragen. In het woud wagen ze zich niet.'

'Hoe zullen we ooit weten dat er geen gevaar meer dreigt op de rivier?' vroeg Ti'bert.

'Geduld, jongen. Nog zeker tien dagmarsen, pas dan ga ik poolshoogte nemen.'

Ti'bert kreunde bij het vooruitzicht dat de martelgang nog zo lang zou duren.

'Kom, geen tijd verliezen', zei Ernest.

Hij liep voorop, Ti'bert volgde in zijn voetspoor. Bij elke stap moesten de verkenners zich afvragen of de pakdieren met hun brede last tussen bomen en struiken door konden en of ze niet geklemd zouden raken tussen rotsen. Ernest speurde ook voortdurend naar tekens die op de aanwezigheid van mensen wezen.

Ti'bert leerde hij ook de gebarentaal die de Mikmaq gebruikten om tijdens de jacht geluidloos met elkaar te kunnen praten. De stille taal kon in noodgevallen het verschil tussen leven en dood betekenen.

'Denk erom. Lawaaimakers lijden honger', fluisterde Ernest.

Toen hij ineens met veel nadruk gebaarde dat zijn neef zich moest stilhouden, reageerde de jongen meteen op de juiste manier. Hij liet zich snel door zijn knieën zakken en maakte zich zo klein mogelijk.

Ernest wees naar een plek hoger op de bergflank waar een blikseminslag enkele seizoenen geleden een sparrenbos in brand had gestoken. Tussen de geblakerde stammen woekerde jonge, wilde plantengroei. Het was een paradijs voor elanden en herten, maar ook voor bruine beren en andere roofdieren.

Ti'bert probeerde te ontdekken welk dier zijn oom gezien had in het lage struikgewas. Met zijn rechterhand vormde Ernest echter het teken voor 'mens'.

Ti'bert rekte zijn hals om over het struikgewas heen te kijken. Een paar honderd meter van hem vandaan stonden twee mannen met mutsen van beverbont en wilde baarden. Hij trok zijn hoofd weer in. Twee blanken, dacht hij. Indianen hadden immers geen baard en ze droegen zeker geen ronde bontmutsjes.

Hij waagde nog een blik. De twee hadden leren jassen aan van dezelfde snit als die van hem en oom Ernest. Boven hun schouders staken lange geweerlopen uit.

Blanke jagers. Bijna zeker Fransen. Geen soldaten.

Ernest gebaarde dat hij zich gedeisd moest houden en toen seinde zijn hand: 'Keer terug naar het kamp zodra ik het teken geef.'

Ti'bert knikte dat hij de boodschap begrepen had. Ernest ging rechtop staan en zwaaide met beide handen naar de jagers.

'Hola! Vrienden!'

De mannen schrokken niet eens. Ze namen rustig de tijd om hem te observeren. Toen zwaaiden ze terug en ze riepen: 'Vrienden!'

'Waar komen jullie vandaan?' vroeg Ernest terwijl hij naar hen toe liep.

Ze antwoordden met een vaag gebaar dat zowel 'nergens' als 'overal' kon betekenen. Ze kwamen nu ook op Ernest toe. Ti'bert las de boodschap die zijn oom met zijn achter zijn rug verborgen hand vormde: 'Laat je nog niet zien.'

De jongen drukte zich nog vaster tegen de grond. Wat er aan de hand was, wist hij niet, maar er moest iets zijn dat oom Ernest wantrouwig had gemaakt.

'Dag! Ik ben Ernest Druon', zei Ernest.

'Druon? Die naam heb ik al horen vallen. Van de nederzetting aan de baai?'

'Dat heb je goed gehoord.'

'Ik ben Philippe Coutard, bijgenaamd "le Couteau", het Mes. Mijn maat hier noemen ze Edouard de Schele. Als je naar zijn ogen kijkt, snap je wel waarom. Dumas is zijn echte naam.'

'Hoe is de jacht?' vroeg Ernest.

'Matig. En bij jou?'

Ernest haalde zijn schouders op. Mes en Schele hadden natuurlijk door dat hij niet op jacht was.

'Er is een Engels oorlogsschip de rivier opgevaren', zei Mes. 'Heeft dat iets met jou te maken?'

'De bende van Macfarlane heeft vijf mannen van mijn familie vermoord', zei hij ontwijkend. 'De piraten wilden ons land inpikken voor de soldaten het in beslag konden nemen.'

'Vijf doden?' vroeg de Schele verbaasd.

'Vijf... Maar wij hebben wel driemaal zoveel schurken afgemaakt. Macfarlane inbegrepen. Ik hoop dat hij brandt in de hel.'

'Geen wonder dat de Engelsen razend zijn', grinnikte Mes.

'Jullie tocht naar Québec zal moeilijk worden voor de vrouwen en de kinderen', meende Schele. 'Met de Engelsen en de Irokezen op oorlogspad...'

Hij zweeg plots, alsof hij besefte dat hij zich versproken had.

'Waar zijn de Irokezen?' vroeg Ernest.

'Geen idee', antwoordde de kerel bliksemsnel.

'Mm.'

'Waar zijn jouw mensen?' vroeg Mes.

Ernest maakte een vaag gebaar in de richting van de vallei. En toen zei hij met een lachje alsof hij de spot wilde drijven met het tweetal: 'Mijn neef Ti'bert ligt daar. Bijna onder je neus, voor het geval jullie hem nog niet gezien hebben.'

De twee keken alsof een bij hen gestoken had.

'Ti'bert!' riep Ernest. 'Kom maar uit je hol!'

'Wel verdomd!' riep Mes. 'Dat ventje had zich goed verstopt! Een echte blanke indiaan!'

Ti'bert gloeide van trots. Niet door de complimentjes, maar omdat hij zijn oom had geholpen de vreemde snuiters een lesje te leren. Nu wisten ze dat in de familie Druon zelfs kinderen bedreven woudlopers waren. Geen katjes om zonder handschoenen aan te pakken.

'Jullie hebben nog altijd niet verteld waar jullie vandaan komen', gromde oom Ernest.

'Uit de buurt van de Saint-Laurent. We zoeken jachtgronden voor de winter', antwoordde Mes.

'Daar heb je wel een lange reis voor overgehad', vond Ernest.

'Ach... Als je aan het eind maar vindt wat je zoekt', zei Mes. 'Een gebied waar niemand je voor de voeten loopt. Met wild in overvloed. Dan loont zo een reisje wel de moeite. Of denkt een Druon daar anders over?'

'Mm', antwoordde Ernest. 'Als je van zo ver komt, dan kun je me misschien raad geven. Wat de beste route naar het noorden is, bijvoorbeeld.'

'Het spijt me, vriend, maar ik ken alleen de weg over de rivier.'

'De rivier?' vroeg Ernest. 'Wil je me daarheen sturen, met de Engelsen die op de loer liggen?'

Het duurde even voor de mannen antwoordden.

'Hun schip is te log om ver stroomopwaarts te varen', zei Mes ten slotte. 'Op een goede dagreis vanhier kun je langs een bergbeek naar de rivier afdalen. Daar kun je vlotten bouwen en naar het noorden varen.'

'Bedankt voor de raad', zei Ernest.

'Veel geluk', antwoordde Mes.

Schele bromde iets onduidelijks. Daarna liep het tweetal terug de berg op. Ernest keek hen nog een hele tijd na en fluisterde toen tegen Ti'bert: 'Dat waren geen echte jagers. Mijn hoofd eraf als ze geen spionnen in dienst van de Engelsen zijn.'

'Waarom?'

'Ze beweerden dat ze op verkenningstocht waren, maar ze hadden geen bagage bij zich! En die ene kerel begon zomaar over Québec en over onze vrouwen en kinderen, nog voor ik daar iets over gezegd had.'

'Wat doen we nu?'

'Als de gesmeerde bliksem verder trekken', zuchtte Ernest. 'Het zal nog even duren voor die kerels alarm kunnen slaan. Met een beetje geluk behouden we onze voorsprong.'

'En anders?' vroeg Ti'bert.

'Laten we daar voorlopig niet aan denken', kreunde zijn oom.

GEVECHT IN EEN BERGBEEK

Een ijzige wind sleepte natte wolken over de heuvels. Mist en motregen veranderden de sparren in druipende sponzen waaruit zonder ophouden dikke stralen water stroomden. De vrouwen waren de uitputting nabij en de doorweekte kinderen jengelden zonder ophouden.

'Stop!' schreeuwde Ti'berts moeder.

'Neen! Geen tijd verliezen!' antwoordde Ernest. 'We moeten de Rode Jassen en de Irokezen voor blijven!'

'De kinderen moeten rusten!' protesteerde Angeline. 'Ze moeten iets warms eten en droge kleren aantrekken. Of wil je dat ze allemaal ziek worden?'

'En als de Irokezen ons inhalen?' dreigde Charles.

'Misschien halen ze ons in, misschien ook niet. Maar als ze komen, moeten we fris en uitgerust zijn zodat we ons kunnen verdedigen.'

Alle vrouwen mompelden instemmend. Zonder acht te slaan op het protest van de mannen, bereidden ze het noodkamp voor de nacht voor.

In plaats van tenten zetten ze simpele luifels op. Ze legden kleine vuurtjes aan met verdord hout dat nauwelijks verraderlijke rook afgaf. Terwijl de kinderen zich warmden, bereidden de moeders een stevige graanpap. Daarbij serveerden ze geen gebraden vlees of pannenkoeken die kilometers ver te ruiken waren, maar gedroogd spek en beschuiten die ze in de pap weekten om ze eetbaar te maken.

Het kamp lag aan de oever van het bergbeekje dat Mes en Schele als route naar de rivier aanbevolen hadden. De ooms waren bang dat het de Engelsen of de Irokezen een perfecte sluipweg bood om hen onverhoeds te overvallen.

Daarom beslisten ze samen met Ti'bert, de oudste van de jongens, de hele nacht de wacht op te trekken. Ze kozen daarvoor een plek uit waar het water zich tussen dikke, met mos begroeide rotsen wrong vooraleer het dal in te duiken.

'Iedereen die naar boven wil, moet zich hier tussendoor wurmen', zei Ernest.

'Hier kunnen we een leger tegenhouden, als het moet', pochte Charles.

Hij wees Ti'bert een plaats toe in het bos, op enkele stappen van de oever. Hij en zijn broer vatten post achter rotsblokken vlak bij de nauwe doorgang.

Ti'bert maakte zich zogoed als onzichtbaar met een deken om zijn schouders en de brede rand van zijn hoed voor zijn gezicht. Een reusachtige spar beschermde hem tegen een aanval in de rug. Hij klemde zijn geladen geweer, in zeildoek gewikkeld om het kruit droog te houden, tussen zijn benen. Zijn duim rustte op de haan, zijn wijsvinger lag naast de trekker. Klaar om onmiddellijk het vuur te openen.

Hij hield zijn ogen strak op de rotsspleet gericht, een vage grauwe vlek in de haast totale duisternis. Met gespitste oren luisterde hij naar het geroezemoes in het bos.

De meeste geluiden kende hij van de nachtelijke jachtpartijen met Pa'bert en zijn vader. Druppels roffelden op de doorweekte bodem. Kruinen schuurden met een klaaglijk geluid tegen elkaar. Takken kraakten. Een vogel krijste. Een dier slaakte een kreet. Niets waarover hij zich ongerust hoefde te maken.

Met het gerommel uit de beek had hij het moeilijker. Wat betekende het wanneer een kei kletterend voorbijrolde? Was hij gewoon door het water meegesleept? Of was hij losgestoten door een mensenvoet?

Om bange gedachten te bannen, staarde hij ingespannen naar de beek. Soms lichtte het schuimende water op alsof er miljoenen glimworpjes in zwommen.

Om zijn ogen daarna weer aan het donker te laten wennen, zocht hij naar zijn ooms aan de overkant. Hoewel hij wist waar ze zaten, kon hij hen niet vinden. Het stelde hem gerust. Als hij hen niet zag, zouden vijanden hen ook niet kunnen verschalken.

Ergens in de loop van de nacht verloor hij de strijd tegen de slaap. Met zijn kin op zijn borst dommelde hij in. Toen hij met een schok wakker werd, had hij er geen benul van hoelang hij uitgeteld was geweest. Hij was boos op zichzelf. Hoe kinderachtig! Als een baby in slaap sukkelen terwijl hij op de uitkijk zat om zijn familie te beschermen!

Geruisloos strekte hij zijn stramme benen en liet hij de spieren in zijn armen en schouders bewegen. Waakzaam blijven. Klaar zijn om direct in actie te komen wanneer er gevaar dreigde.

Welke actie? Charles had hem op het hart gedrukt pas te schieten wanneer de vijand vlakbij was. Het eerste schot moest raak zijn, want tijd om opnieuw te laden, kreeg hij niet. Hij moest er ook niet aan denken een gevecht van man tot man aan te gaan. Dat kon hij nooit winnen, had Ernest hem bezworen.

'Schiet raak en rep je naar het kamp', had oom Charles gezegd. 'Wij nemen de rest wel voor onze rekening.'

'En als jij eerst schiet?' had Ti'bert gevraagd.

'Dan neem jij het tweede doelwit voor je rekening, als het nodig is. En daarna maak je je uit de voeten. Raak schieten en hard weglopen, dat kun je toch onthouden?'

'Mm', deed Ti'bert.

Ook de vrouwen brachten de nacht door met geladen geweren en pistolen binnen handbereik. Al waren ze niet zulke bedreven schutters als de mannen, ze waren geoefend genoeg om een aanvaller te vellen voor hij tot bij hen kon komen.

Een dennenappel kwam los uit de hoge kruin. Dik en zwaar plofte hij op de natte bodem. Ti'berts gehoor was zo geoefend dat hij op een halve meter na kon schatten waar het ding was neergekomen. Hij staarde in de duisternis om die plek op te zoeken. Een uitdaging die hem hielp wakker en waakzaam te blijven.

Zag hij iets bewegen in de spleet tussen de rotsen?

Hij hield zijn adem in en sperde zijn ogen open. Was ik maar een uil, dacht hij, dan zou ik door het donker heen kunnen kijken alsof het dag was. En mijn oren zouden uit honderden geluiden haarfijn dat ene gerucht kunnen oppikken dat dreigend gevaar aankondigde.

Zijn adem stokte. Hij hoorde een geluid dat anders was. Iets drukte zacht op het dikke tapijt van doorweekte dennennaalden. Een poema? Een lynx? Of de mocassins van een Irokees? Hij voelde het bloed in zijn slapen kloppen. Kippenvel. Zijn hand sloot zich vaster om het geweer. Zijn duim stevig op de haan, zijn vinger om de trekker. Al zijn zintuigen stonden op scherp, alle spieren gespannen.

En toch was hij verrast toen er op slechts een paar stappen van hem vandaan een man opdook. Nog voor hij hem zag, had hij hem geroken. Een ranzig luchtje, de geur van een mens die dagen, misschien wel weken, in de wildernis had doorgebracht. Zijn kleren waren doortrokken van moddergeuren, de rook van kampvuren en de stank van het bloed en de ingewanden van de dieren die hij geslacht had.

De man stond met zijn rug naar hem toe. Van onder de rand van zijn hoed loerde Ti'bert naar de voeten van de onbekende. Ze waren zo dichtbij dat hij ze had kunnen aanraken. Het waren mocassins. Indianenschoenen. Leren broekspijpen plakten tegen de kuiten van de onbekende. Een indianenbroek.

'Direct schieten!' had oom Charles bevolen, maar Ti'bert twijfelde.

Wat als de onbekende geen vijand was?

Wat als hij een onschuldige jager was?

Snel de haan opspannen en meteen daarna de trekker overhalen. Twee eenvoudige bewegingen. Het schot zou afgaan voor de man kon reageren op de klik van de haan. De kogel zou hem op nauwelijks een meter afstand midden in de rug treffen. Absoluut dodelijk.

Maar zover kwam het niet. Ineens stootte de indiaan een diepe zucht uit. Zijn voeten verloren hun houvast. Hij zakte door zijn benen en plofte vlak voor Ti'bert op de grond.

'Wie ben je?' siste oom Ernest hem toe in de taal van de Mikmaq.

Met een hand hield hij een strop strak rond de keel van de onbekende. In zijn andere vuist blonk een jachtmes, de punt nog geen millimeter van het linkeroog van zijn slachtoffer verwijderd.

De man bracht met moeite een woord uit. Ti'bert verstond het niet, maar zijn oom fluisterde: 'Irokees?'

De indiaan rochelde. Zijn lichaam ging met wilde schokken op en neer en viel toen stil. Ernest had zijn nekwervel gebroken.

'Goed dat je niet geschoten hebt', fluisterde hij tegen Ti'bert. 'De makkers van deze schurk hoeven niet te weten dat we hen op-wachten. Houd je ogen open. Begrepen?'

Voor de jongen kon antwoorden, had de duisternis zijn oom weer opgeslokt. Het bloed klopte nu zo luid in Ti'berts slapen dat hij geen ander geluid meer kon horen. Hij slikte om zijn angst te verdringen en te doen wat zijn ooms van hem verwachtten. Waak-zaam zijn. Klaar om meteen toe te slaan. Hij sperde zijn ogen zo wijd open dat het pijn deed. Duim op de haan. Vinger om de trek-ker.

De Irokees lag vlak voor zijn voeten. Hij hoefde maar een teen uit te steken om hem aan te raken. Hij dwong zichzelf niet naar de dode te kijken. De beek, die moest hij in de gaten houden. De witte schuimkopjes. De ketsende keien. Klaterend water.

En toen doken twee gestalten op in de rotsspleet. De mannen loerden eerst voorzichtig om de hoek en waagden zich daarna tot in het midden van de waterloop. Ze zochten naar hun makker die voorop was gegaan.

Een van hen bootste de roep van een uil na. Toen er geen ant-woord kwam, probeerde hij het nogmaals. Deze keer volgde er wel een reactie. Ze kwam van de overkant, waar Charles en Ernest in hinderlaag lagen.

De Irokezen drukten zich vliegensvlug tegen de rotsblokken aan. De roep was blijkbaar niet wat ze verwacht hadden.

Ernest liet snel een andere uilenkreet weerklinken. De dringende roep van een vogel in gevaar. De Irokezen kwamen weer tevoor-schijn. Ti'bert glimlachte. Zijn oom was werkelijk niet te onder-schatten.

Zijn glimlach verstarde toen het tweetal doelbewust in de richting sloop vanwaar het geluid had geklonken. De plaats waar zijn ooms zich ophielden. Hij richtte de geweerloop op een van de vage schimmen.

De Irokezen naderden behoedzaam de oever. Ondanks de duisternis dacht Ti'bert te kunnen opmaken dat ze allebei gewapend waren met een strijdbijl en een mes.

Hij zoog zijn longen vol lucht en hield zijn adem in. Klaar om te schieten.

Een kreet scheurde de nacht aan flarden. Meer geschreeuw. Charles en Ernest hadden hun vijanden besprongen met in elke hand een lang, vlijmscherp jachtmes.

De twee indianen waren zwaar in het nadeel. Ze stonden in de beek. Water wervelde rond hun benen. Hun voeten schoven uit op de gladde keien. Het was voor hen zogoed als onmogelijk om zich te verweren. Haast gelijktijdig vonden ze de dood met een messteek diep in het hart.

'Ti'bert?' fluisterde oom Charles.

'Ja.'

'Alles in orde?'

'Ja.'

Toen werd het weer stil.

EEN SPIEGELGLAD MEER

Nog voor de zon opging, joegen Charles en Ernest de karavaan verder de bergen in. Iedereen die sterk genoeg was om een bijl of een kapmes te hanteren, moest helpen een pad te hakken voor de dieren.

Tegen de middag bereikte de groep een pas tussen de scherpe toppen die hen van alle kanten omringden. De gedachte dat ze de volgende uren niet meer hoefden te klimmen, schonk iedereen moed om nog sneller te gaan.

De karavaan slingerde zich als een lang lint door het oerwoud. Het vee bezorgde hen voortdurend last. Toen Pa'bert het plan voor de trek had uitgedokterd, had hij erop gerekend dat de honden de kudde in bedwang zouden houden. In het struikgewas bleek dat zogoed als onmogelijk. Vrouwen en kinderen moesten voortdurend tussenbeide komen om verdwaalde dieren terug naar het pad te drijven.

Omdat de karavaan zo lang uitgerekt was, duurde het een hele tijd voor nieuws van de voorhoede tot bij de staart van de troep raakte. Bij elk oponthoud ontstond er verwarring. De trek verliep als een rommeltje en zo zou het wel blijven tot ze open land bereikten.

Alleen wist niemand of er tussen Acadië en Québec wel open land te vinden was. Hadden de Mikmaq het niet altijd over 'hun' bossen die zich uitstrekten tot aan de oevers van de Saint-Laurent?

Even onverwachts als de regenvlagen begonnen waren, brak de herfstzon de sombere hemel open. Ti'bert voelde zich alsof hij wakker werd gezoend na een ijselijke nachtmerrie.

Charles gaf zijn mensen echter niet de tijd om lang van het zonnetje te genieten. Hij leidde hen een donker sparrenbos in. Uit de doorweekte bodem walmde de stank van modder, schimmel en rottende dennennaalden, maar vergeleken met het loofbos was het kinderspel om door dit oerwoud te reizen.

De sparren hadden de ondergroei verstikt. Omgevallen stammen van duizend jaar oude woudreuzen dwongen hen wel regelmatig tot een omweg, maar er was haast geen struikgewas dat ze met een hakmes of bijl te lijf moesten gaan. Er rukten ook geen venijnige doorns aan hun kleren en de bodem voelde lekker zacht aan, bijna alsof ze over een zachte matras liepen. En eindelijk was er ook genoeg plaats voor de honden om het vee op de rechte weg te houden.

Hoe sneller ze vorderden, hoe meer hun angst voor de Irokezen afnam. De ooms hadden de lichamen van de drie dode verkenners ver van de kampplaats begraven. Ze hadden de graven zo grondig toegedekt met een berg takken dat zelfs een geoefende verkenner niet zou merken dat er lichamen in de grond zaten.

Ze rekenden er ook op dat het nog een flinke tijd zou duren voor de andere Irokezen zich afvroegen waar hun kompanen uithingen. De ooms vermoedden dat het heel gewoon was dat verkenners een week of langer wegbleven. Dat gaf hun extra tijd om achtervolgers voor te blijven.

'Als het meevalt, halen ze ons nooit meer in', hoopte Ernest.

'Zolang we niet talmen...' waarschuwde zijn broer hem. 'Vergeet niet dat de Irokezen veel sneller kunnen opschieten dan wij.'

Daarom namen de mannen geen enkel risico. Ze gunden de troep niet meer rust dan absoluut nodig. Iedereen moest zijn best doen zo weinig mogelijk herrie te maken. Alles wat hun aanwezigheid verraadde, moesten ze achterwege laten. Ook al deed het pijn aan hun jagershart, toch lieten de ooms kort na elkaar drie herten weglopen omdat geweerschoten hen konden verraden aan iedereen die zich kilometers in het rond bevond.

'Ik had ze zo kunnen neerschieten. Verschrikkelijk!' fluisterde Charles tegen zijn broer, terwijl de verlokkelijke prooi zich uit de voeten maakte.

Zijn sombere stemming verdween op slag toen een haast verblindend licht tussen de stammen glinsterde. De rand van het bos! Een reusachtig meer strekte zich voor hen uit. Links en rechts verdwenen de oevers in de verte en naar het westen konden ze zelfs niet zien waar het rimpelloze water ophield. Charles stak een vinger in het water en proefde ervan.

'Zoet', mompelde hij.

'Moeten we naar de overkant?' vroeg Ti'bert.

'Natuurlijk, jongen, want dat is de gemakkelijkste weg naar de rivier. We bouwen vlotten. Als het weer meezit, kunnen we een paar dagen op onze luie krent zitten en hoeven we alleen af en toe te roeien. Net wat we nodig hebben om op adem te komen.'

Ze bouwden zes vlotten. De vaartuigen zagen er ruw en onbehouwen uit, maar ze droegen probleemloos alle mensen en dieren. Ze waren met lange touwen aan elkaar gebonden om te voorkomen dat een vlot zou afdrijven.

De roeispanen had oom Ernest van gespleten dennenstammen gemaakt. Het uiteinde van de ruwe planken had hij zo bewerkt dat ze ook in kleine kinderhanden pasten, want iedereen roeide om beurten.

Ti'bert ontdekte dat hij met niet meer dan een brokje brood als aas, de ene vis na de andere aan de haak kon slaan. Kinderen op andere vlotten volgden zijn voorbeeld en na korte tijd hadden ze zoveel gevangen dat de groep er een paar dagen van kon eten.

Charles en Ernest speurden voortdurend de oever af met de kijker van Pa'bert. Ze konden er maar niet bij dat ze nergens een spoor van bewoning aantroffen. De bossen waren rijk aan wild, het meer zat vol vis. Hoofdschuddend mompelden ze hoe graag ze deze streek zouden ontginnen. Jammer genoeg kon dat niet, want vroeg of laat zouden ook hier Rode Jassen opdagen om Franse kolonisten te verjagen.

's Avonds sloegen ze hun kamp op aan de oever van een inham. Ernest had eerst de omgeving grondig afgezocht. Hij vond talloze sporen van wilde dieren die het strandje gebruikten als drenkplaats, maar nergens kwam hij een voetafdruk van een mens tegen. Hij knorde tevreden. Ze waren alleen.

De dieren waren dolblij dat ze weer vaste grond onder de voeten hadden. Ze huppelden alsof ze na een lange winter op stal eindelijk losgelaten werden in een lentefrisse weide.

Langs de oever oogstten de vrouwen groente en knollen voor bij de vis die aan stokjes boven het vuur hing. In een grote ketel kookten ze soep van de viskoppen en in afwachting van het hoofdmaal smulde iedereen van knapperige, kleine visjes die in hete as gebraden waren.

Omdat de kans op een nachtelijke overval klein leek, beslisten de ooms dat één waker zou volstaan. Ti'bert nam de eerste uren voor zijn rekening, Charles loste hem af en het laatste stukje was voor Ernest.

Ti'bert nestelde zich onder de verdorde kruin van een omgewaaide spar. Om niet alleen te zijn, had hij Doux meegenomen. Hij was Pa'berts lievelingshond geweest, een zachtaardige lobbes die zijn gelijke niet had als koeienherder. Waakzaam, trouw en vooral dapper, zoals hij bewezen had door ooit in zijn eentje een heel roedel hongerige wolven op de vlucht te jagen.

De jongen vlijde zich tegen de dichte vacht van de hond aan. Toen oom Charles hem kwam aflossen, had Ti'bert noch Doux ook maar iets verdachts opgemerkt.

De dagen regen zich aan elkaar als kralen van een ketting. Elke dag stond de herfstzon laag boven de horizon in een strakke, blauwe hemel. Het meer glansde als een spiegel, alleen beroerd door de trage slag van de roeispanen.

Langzaam dobberden de vlotten naar het noordwesten. Per dag legden ze maar een paar kilometer af, maar dat deerde de vluchtelingen niet. Hoofdzaak was dat ze op weg waren naar hun einddoel. Zonder voortdurend op de hoede te moeten zijn voor vijanden en zonder af te zien in het oerwoud.

Ook de gedachte dat de winter binnenkort zou toeslaan, deerde hen nog niet. Oom Ernest zei dat het volgens de kalender in zijn hoofd nog wel een maand zou duren vooraleer het koude seizoen begon. Tegen die tijd, rekende hij voor, hadden ze de bovenloop van de rivier bereikt, waar ze ongetwijfeld Franse nederzettingen zouden vinden.

Niemand wilde aan zijn rooskleurige voorspellingen twijfelen. Na de verschrikkingen en ontberingen van de voorbije weken, hielpen de rust en de kalmte op het water de mensen om hun sombere gedachten opzij te schuiven.

's Avonds bereidden de vrouwen ware feestmalen met vis uit het meer, wilde groente en de overvloed aan rijpe bessen die de kinderen in de bosrand plukten. En daarna gingen ze slapen met de zoete zekerheid dat ze veilig waren en zonder grote problemen hun tocht zouden voltooien.

De schok was dan ook groot toen in de verte een kano kwam aanzetten. Charles zag door de kijker dat er twee indianen aan boord waren, een oude man en een even bejaarde vrouw. Zodra hij de blanken had opgemerkt, begon de man hard te roeien. Het ranke bootje vloog letterlijk over het water en verdween al spoedig aan de horizon.

De ooms verhoogden hun waakzaamheid, ook al maakten ze zich geen grote zorgen. Ze wisten van Henri en zijn stamgenoten dat sommige Mikmaq in deze streken jaagden, maar er trokken ook andere stammen rond. Indianen van bevriende volkeren zoals de Maliceet en de Abenaki. De kans dat de oude mensen Irokezen waren, leek wel heel klein.

'Gelukkig zaten er geen krijgers in de kano', zuchtte Ti'bert opgelucht.

'Waarom sloegen ze op de vlucht?' vroeg Angeline. 'Ze konden toch zien dat we vreedzame mensen zijn? Vlotten met vrouwen en kinderen en vee...'

'We zullen het snel ontdekken', antwoordde Charles. 'Wanneer hun stamgenoten een kijkje komen nemen...'

'Of we zullen het nooit weten', voegde Ernest er hoopvol aan toe. 'Misschien doen ze even hard hun best om ons te mijden als wij ons best doen om hén niet tegen te komen.'

DE STAM VAN DE STEUR

De indianen naderden met de zon in de rug. Dunne, trillende schimmen op het blinkende water.

'Vijf kano's!' riep Ernest.

Met de kijker telde Charles zes, zeven man per bootje. De vaartuigen, met rompen van berkenschors op een geraamte van soepele takken, leken over het meer te glijden zonder het water te beroeren. Er was niets dat de Fransen met hun plompe vlotten konden doen om aan hen te ontkomen.

'Wapens laden', beval Charles.

Alles samen beschikten de vluchtelingen over een dozijn vuurwapens. De jachtgeweren waren dodelijk op vele meters afstand. Raak schieten met de pistolen was moeilijk en daarom mochten ze alleen van heel dichtbij afgevuurd worden. De ooms drukten iedereen op het hart alleen te schieten als zij het bevel gaven.

De indiaanse roeiers bewogen hun paddels op het ritme van een opzwepend lied. Het klonk als een langgerekte strijdkreet.

'Versta jij wat ze zingen?' vroeg Ernest nerveus.

'Niet één woord', antwoordde Charles.

'Geen Mikmaq?'

'Geen idee.'

Plots hielden de roeiers zich in. De kano's vertraagden. Een man ging rechtop staan. In het kleine bootje leek hij een reus die over het water wandelde. Zijn schouderlange haar werd bijeengehouden met een leren band. Midden op zijn voorhoofd was de band versierd met zwart-witte stekels van een stekelvarken en boven elk oor stak een arendsveer uit. Rond zijn gespierde bovenarmen had hij smalle leren bandjes gebonden, versierd met kleurige schelpjes. De riem die zijn lendenschort ophield, was op dezelfde manier versierd.

Hij had een streng, scherp gezicht, net als de rest van zijn lichaam donker gebrand door de zomerzon. Met zijn armen voor zijn borst gevouwen, keek hij de mensen op de vlotten strak en streng aan. Alles in zijn houding straalde macht en zelfvertrouwen uit. Hij droeg geen wapen.

'Gegroet', zei oom Charles in de taal van de Mikmaq.

'Gegroet', herhaalde de krijger in dezelfde taal.

'Wij zijn Franse Mikmaq van L'nuk', zei Charles.

'L'nuk' betekende 'het volk', 'Mikmaq' betekende 'vrienden en familie'. De krijger keek hem lange tijd zwijgend aan met tot spleetjes geknepen oogjes.

'Wij kennen geen L'nuk met blanke vrienden', gromde hij ten slotte.

'We zijn vrienden van de stam van de Beer', zei Charles. 'Vrienden van de grote *sagamo* en *autmoin* Henri en van zijn zoon Antoine, die hem na zijn dood zal opvolgen.'

Ti'bert telde vierendertig krijgers. Stuk voor stuk forse, gespierde kerels. Harde, als uit bruine steen gehouwen gezichten met donkere, waakzame ogen. Niemand van hen droeg een wapen, maar hun werpspiesen, strijdbijlen, bogen en pijlen lagen wel binnen handbereik. De jongen schaamde er zich voor dat hij een geladen geweer op hen richtte. Wat moesten die mannen van hem denken dat hij hen zo bedreigde?

'De *sagamo* die jullie Henri noemen, heeft zijn jachtgronden ver vanhier, nabij de oceaan', zei de leider van de groep. 'Waarom stuurt hij zijn blanke vrienden dan hierheen?'

'We zijn op de vlucht voor de Rode Jassen. Ook de stam van de Beer heeft haar zomerkamp voortijdig opgebroken. Ze is naar het noorden getrokken om aan de Engelsen te ontkomen.'

'Men beweert dat de blanken bondgenoten zijn van de Irokezen', zei de aanvoerder van de krijgers. 'De Irokezen zijn vijanden van de Mikmaq.'

'We hebben drie Irokezen gedood', vertelde Charles. 'Waarom zouden we hen ombrengen als ze onze bondgenoten zijn? De Irokezen spelen onder één hoedje met de Engelsen. Ze zijn vijanden van de Franse Mikmaq.'

'Waarom varen jullie dan naar het westen?' vroeg de aanvoerder.

'We willen over de grote rivier naar onze broeders in het noorden reizen.'

'De Irokezen versperren de weg naar de rivier.'

'Dat wist ik niet', bekende Charles.

De aanvoerder gromde alsof hij dat excuus waardeloos vond.

'De Irokezen krijgen geweren en kruit van Franse woudlopers', ging hij koppig door. 'Een van hen is een man die ze Mes noemen. Hoe durf je me wijs te maken dat de Irokezen en de Fransen vijanden zijn?'

'Ik ken die kerel', gromde Charles. 'Mes en zijn schele vriend zijn verraders. Ze werken voor de Engelsen. Ze waren ons op het spoor, maar we zijn ontkomen.'

De leider staarde hem ongelovig aan. Met een weids armgebaar wees hij naar de met vrouwen, kinderen, vee en bagage beladen vlotten.

'Hoe kan zo een grote groep ontkomen aan ervaren woudlopers?' vroeg hij.

'En toch zijn we hen te snel af geweest', antwoordde Charles. 'We hebben misschien het geluk gehad dat Mes en zijn maat niet over voldoende Irokezen beschikten om ons aan te vallen. Ze hadden alleen 'Rode Jassen' en die zijn in het oerwoud geen knip voor de neus waard. Dat weten alle Mikmaq.'

De krijgers schoten in een luide lach. Zelfs op het gezicht van hun aanvoerder verscheen een glimlachje.

'Je spreekt recht voor de vuist, Fransman', zei hij. 'Je durft me onbevreesd in de ogen te kijken. Je bent niet zoals die hondsvot van een Mes.'

Een paar krijgers lieten goedkeurend gemompel horen.

'Ons kamp ligt aan de overkant', zei de aanvoerder toen. 'Als mijn Franse Mikmaq niet bang zijn om de nacht op het water door te brengen, mogen ze daarheen varen. Ik zal je komst aankondigen. Je bent welkom in ons dorp.'

Voor Charles hem kon bedanken, voegde hij er nog aan toe:

'Haast je. Over een paar dagen zullen sneeuwwolken de zon op-
slokken en dan begint het seizoen van de Witte Beer.'

De Mikmaq van het grote meer noemden zich 'de stam van de
Steur' naar de vis waarop ze in het meer en de naburige rivieren
jaagden. Hun opperhoofd was een oude man die Gele Maan heette.
De jonge leider van de krijgers droeg de naam Zingende Kraai.

De mensen van Steur waren buitenbeentjes. Anders dan de
meeste Mikmaq bleven ze ver van de kust en brachten ze zelfs de
bitterste winters in het binnenland door.

Hun grote wigwams waren stevige bouwsels met een geraamte van
sparrenstammen waarop stroken wilgenschors gebonden waren. In
het midden van de woning was er ruim plaats voor een houtvuur,
waarvan de rook door een opening in het spitse dak kon ontsnappen.
De vloer rond het vuur bestond uit lagen sparrentakken, bedekt met
dierenhuiden. Elke wigwam bood plaats aan een uitgebreide familie.

De Fransen waren diep onder de indruk van de reusachtige
voedselvoorraad die de indianen verzameld hadden. Aan haast
eindeloze rekken hingen duizenden vissen te drogen, naast zoveel
gerookt vlees dat de Druons zich niet konden voorstellen wie het
allemaal zou opeten.

Het gezicht van Gele Maan werd steeds somberder naarmate
Zingende Kraai hem de plannen van de Franse landverhuizers
ontvouwde.

'Als we hen nu laten gaan, zullen ze de winter niet overleven',
bromde hij tegen zijn zoon. 'De mensen niet en de dieren evenmin.'

'Waarom denkt u dat?' kwam oom Ernest tussenbeide. 'We hebben al veel harde winters meegemaakt zonder dat iemand er het
leven bij liet.'

Gele Maan sloot even zijn ogen en dacht diep na. Zijn gasten
tegenspreken was onbeleefd, maar toch moest hij hen van hun on-
gelijk overtuigen.

'Jullie woonden aan de kust, waar het niet zo bijtend koud is als
in het binnenland', zei hij. 'Jullie houten huizen beschermden jul-

lie tegen wind, sneeuw en ijs. Ik heb gehoord dat zelfs het vee de winter in een eigen huis mocht doorbrengen.'

De ooms knikten. Gele Maan ging verder: 'Wanneer de blizzard van de Witte Beer over het land raast en de sneeuw op hopen blaast, tweemaal zo hoog als een rechtopstaande man, wagen zelfs de mensen van de stam van de Steur zich niet in het woud. En alle mensen weten dat zij beter dan wie ook de kunst verstaan zich tegen koude en wind te beschermen.'

'Maar wij kunnen niet anders dan verder reizen', wierp oom Charles op. 'We hebben geen huizen meer.'

'Jullie kunnen wigwams bouwen', stelde Gele Maan voor. 'Onze vrouwen zullen het jullie leren. Daarin kunnen de Franse vrienden van *sagamo* Henri de winter doorbrengen. In de maan van de Kwakende Kikkers, wanneer de sneeuw gesmolten is, kunnen ze naar hun vrienden in het noorden reizen.'

De ooms keken elkaar vragend aan. Tquoljewikus, de maan van de Kwakende Kikkers, was de naam die de Mikmaq aan de maand mei gaven. Konden ze het zich veroorloven zes, zeven maanden te wachten?

Gele Maan glimlachte geruststellend, alsof hij hun gedachten kon lezen.

'De mensen van de Steur zijn vereerd jullie als buren en vrienden te ontvangen', zei hij. 'En Zingende Kraai zal verheugd zijn wanneer de blanken hem en zijn mannen leren met vuurwapens om te gaan.'

De ooms overlegden kort in het Frans. Toen namen ze het voorstel van *sagamo* Gele Maan aan.

De voorspelling van de Mikmaq kwam akelig precies uit. De ene dag brandde de zon nog en pronkten de loofbomen met vlammend rode en felgele herfstkleuren, de volgende ochtend was de hemel pikzwart en blies een felle noordenwind de bomen kaal.

Twee wigwams waren winddicht toen de eerste sneeuwvlokken vielen. De indiaanse vrouwen hielpen de Fransen hun onderkomen in te richten. In plaats van huiden spreidden ze tentzeilen en dekens uit over een laag sparrentakken van wel een halve meter dik. De kisten en zakken met huisraad en voedsel stapelden ze tot muurtjes, waardoor elk gezin over een eigen 'kamertje' beschikte. Ti'bert vond de wigwams haast even knus en veilig als zijn oude huis, dat hij in vlammen had zien opgaan.

Zodra ze een dak boven het hoofd hadden, bouwden de Fransen nog kleine stallen voor het paard van Pa'bert, een os en zes koeien. De muilezels en de kudde schapen en geiten kregen luifels om onder te schuilen.

Alle kinderen, van groot tot klein, waren druk in de weer geweest voer voor de dieren te vergaren. Hoe hard ze ook hun best deden, hun oogst was te mager om het vee een winter lang in leven te houden.

'Zodra het koud genoeg is, zullen we een aantal dieren slachten en het vlees laten bevriezen', besliste Charles. 'Het zal welkom zijn wanneer de sneeuw te hoog ligt om op jacht te gaan.'

Zingende Kraai was het daar helemaal mee eens. Hij begreep niet waarom de blanken zoveel moeite deden om hun voorraad wintervlees in leven te houden. Waarom deden ze niet zoals de indianen, die in de zomer en de herfst wild en vis rookten en droogden als voorraad voor de slechte maanden?

'Wat eet je als er geen wild is?' vroeg Charles.

'Er is altijd wild', antwoordde het opperhoofd. 'En er is ook altijd vis in het meer.'

'En als het water bevroren is?'

Zingende Kraai haalde zijn schouders op.

'Dan hak ik gaten in het ijs. Ik zal het je leren.'

De winterdagen waren zo kort dat de zon nog nauwelijks boven de heuvels uit kwam en het ochtendgloren bijna onmiddellijk overging in de avondschemering. Tijdens heldere nachten toverde noorderlicht adembenemende kleurenspektakels boven de horizon. De indianen geloofden dat het licht uit hun godenwereld kwam.

Gierende blizzards legden een metersdikke vacht op het land. Tussen de sneeuwstormen in vroor het zo hard dat zieke bomen met luide knallen uit elkaar barstten. De ijslaag op het meer groeide elke dag aan, zodat de mensen steeds diepere gaten moesten hakken om aan drinkwater te komen.

In de wigwams was het knus en warm, maar ook muf en druk. Wanneer er stormen woedden en niemand zich dagenlang buiten waagde, zetten de kleine kinderen de boel op stelten. Wrange houtrook prikkelde longen en ogen omdat de deur niet open kon.

In het donker, met alleen het schijnsel van vlammetjes om de ruimte te verlichten, gleden de gesprekken onvermijdelijk af naar vroeger. Dan praatten ze op fluistertoon over Pa'bert en de vermoorde mannen, over de mooie hoeves die ze in brand hadden moeten steken en over de vele dingen die hun leven nog maar weinige maanden geleden aangenaam en zorgeloos hadden gemaakt.

De moeders putten zich uit om hun kinderen te sussen met troostende verhaaltjes, maar zodra hun kroost sliep, lieten ze hun tranen de vrije loop. Ti'bert hoorde hun verdriet, terwijl hij tegen zijn eigen tranen vocht.

Nachtmerries achtervolgden hem. In zijn slaap zag hij ontelbare keren Pa'bert sterven of was hij er getuige van hoe zijn vader door de mannen van Macfarlane werd afgemaakt. Met luide angstkreten schrok hij wakker wanneer de piraten zich tegen hem keerden, hun korte, scherpe zwaarden blinkend in de zon.

Vaak hoorde hij in zijn droom de bromstemmen van Henri en Antoine. Telkens weer spoorden ze hem aan het niet op te geven, moed te scheppen en altijd sterk te zijn.

En steeds weer dook Zoete Bes op, altijd in haar mooie kleren. Voor hij een woord tegen haar kon zeggen, legde ze een vinger op zijn mond en fluisterde ze dat hij een dappere kerel was. Hij probeerde haar hand te grijpen, maar ineens was ze verdwenen en schrok hij met een pijnlijke schok wakker.

Wel honderd keer wilde de jongen zijn dromen vertellen aan zijn moeder of aan zijn ooms, maar nooit vond hij de moed. Wat zouden ze van hem denken?

Zodra de sneeuwstorm ging liggen, haastte iedereen zich naar buiten. Zelfs de bijtende koude en het grauwe winterlicht waren beter dan de bedompte atmosfeer in de wigwams. En dat vonden niet alleen de Fransen, maar ook de indianen.

Ti'bert werd beste maatjes met een kleinzoon van het stamhoofd. Voluit heette hij 'Snel Zwemmende Bever', maar iedereen noemde hem kortweg 'Bever'. Van hem leerde de jonge Fransman met de ongemakken van de winter om te gaan. Zelfs in de bitterste koude bleven de Steurindianen jagen en vissen, handig en geslepen als geen ander volk.

De twee jongens trokken op sneeuwschoenen het bos in, waar Bever vallen had uitgezet om kleine pelsdieren te vangen. Samen gingen ze ook de netten leegmaken waarin vogels zich verstrikt hadden. Elke dag hakten ze gaten in het ijs om zalm, steur en andere vis te vangen met lijntjes van touw en haken die uit hertengeweien gesneden waren.

Bever was de koning te rijk toen Ti'bert hem eindelijk wilde inwijden in de geheimen van het geweer. Hij leerde hoeveel poeder hij in de loop moest schudden, hoe hij het kruit en de kogel met een prop vast hoorde te zetten en dat hij voorzichtig moest zijn wanneer hij de lading aanstampte. Hij hing met zijn neus boven Ti'berts handen toen die een beetje kruit in de pan goot en het wapen schietklaar verklaarde.

'Je mag het uitproberen als je wilt', zei Ti'bert.

'Ik?' riep de jongen.

'Jij.'

Ti'bert deed voor hoe hij de kolf vast tegen zijn schouder hoorde te drukken en met een oog dichtgeknepen langs de loop moest mikken op een sneeuwpop die hij als doelwit had neergezet.

'Span de haan', zei Ti'bert.

Klik.

'Leg je wijsvinger om de trekker.'

Bever gehoorzaamde.

'Wijst de korrel op de loop naar het midden van het doel?' vroeg Ti'bert.

'Ja.'

'Houd je adem in. Beweeg niet. Streel de trekker met je vinger tot je weerstand voelt.'

'Ja.'

'Haal de trekker over.'

Alles ging zo snel dat Bever niet eens merkte dat het vuursteentje langs de kruitpan schraapte en met een vonkje het zwarte poeder deed ontvlammen. Het kruit in de loop ontplofte met een luide knal en de terugslag kwakte de kolf pijnlijk hard tegen zijn schouder. Hij ademde bittere kruitdamp in.

'Wat?' was het enige dat hij kon uitbrengen.

'Je hebt de sneeuwpop getroffen!' riep Ti'bert. 'Kijk maar! Zijn hoofd is helemaal aan gruzelementen!'

'Oh!' stootte Bever uit.

Hij hield het geweer ver van zich af, alsof hij bang was dat het tuig hem opnieuw een oplawaai zou verkopen.

'Als die sneeuwman een mens was geweest...' begon hij en Ti'bert maakte de zin af: 'Dan was hij nu dood.'

'Oh!'

Het was dezelfde vreugdekreet die Ti'bert gehoord had toen oom Charles Zingende Kraai een jachtgeweer cadeau had gedaan.

'Oh! Daarmee zullen we ons beter kunnen verdedigen tegen de Irokezen!' had Kraai uitgeroepen.

IROKEZEN UIT DE SNEEUW

De waakhonden blaften alsof hun leven ervan afhing. De dieren hielden altijd buiten de wacht, ondanks koude, stormwind of sneeuw. Het waren ruige, wilde vechtjassen die er zelfs niet voor terugschrokken een volwassen beer te lijf te gaan. Hun opwinding kon alleen betekenen dat er gevaar dreigde.

'Te wapen!' schreeuwde Zingende Kraai.

In het fletse maanlicht zag hij menselijke gestalten in de sneeuw wegduiken. Irokezen? De jonge aanvoerder nam geen risico.

'Aanvallen!' siste hij terwijl hij de honden losliet.

De bloeddorstige dieren gehoorzaamden blindelings. Met lange sprongen ploeterden ze door de diepe sneeuw naar de indringers.

Intussen maakten de krijgers zich klaar om de aanval af te slaan. Iedereen wist precies welke rol hij moest spelen. Een vijftal boog-schutters vatte post op enkele meters van het dorp. Met hun pijlen konden ze de voorhoede afmaken als die de aanval door de honden overleefde.

Charles, Ernest, Ti'bert en de paar indianen die over geweren be-schikten, vormden een tweede linie. Charles rekende uit dat ze tijd hadden om drie schoten af te vuren vooraleer de aanvallers hen bereikten.

Zingende Kraai en de sterkste vechtersbazen hielden zich in de achterhoede klaar om de laatste schok op te vangen. Sloegen de vijanden daarentegen na de geweersalvo's op de vlucht, dan zou-den zij de achtervolging inzetten.

'Het zijn Irokezen!' siste het opperhoofd tegen zijn mannen. 'Geen genade. We maken ze allemaal af!'

'Laat ten minste een van hen in leven', stelde Charles voor. 'Hij kan ons vertellen waar zijn kamp is opgeslagen.'

'Irokezen laten zich nog liever in stukken hakken dan hun mak-kers te verraden', gromde Zingende Kraai. 'Geen genade, Franse vriend. Geen genade!'

Ti'bert rilde toen de honden hun prooien besprongen. Geen mens kon het halen tegen die wilde beesten, dacht hij, maar tot zijn afschuw wisten de Irokezen de aanval te overleven. Ze droegen dikke bontpakken, waar de hondentanden niet doorheen konden. Eén haal met hun mes of een rake houw met een bijl volstond om de dieren onschadelijk te maken.

Intussen kwamen steeds meer krijgers op de Mikmaq af. Enkelen werden geveld door pijlen, maar hun makkers ploeterden koppig voort. Ook al droegen ze sneeuwschoenen, toch kwamen ze maar traag vooruit zodat ze ideale doelwitten vormden.

Ti'bert richtte zorgvuldig zijn loop op één bepaalde krijger en hield hem steevast in het oog. Ondanks de koude voelde hij zweet op zijn voorhoofd parelen. Hij klemde zijn tanden op elkaar, zo hard dat het pijn deed.

'Vuur!' schreeuwde oom Charles.

Ti'bert haalde de trekker over. De man op wie hij gemikt had, wankelde even. Het duurde slechts een paar tellen, toen herstelde hij zich van de schok en rende gewoon door. Ti'bert herlaadde vliegensvlug en schoot opnieuw. De getroffen krijger viel in de sneeuw.

Ti'bert mikte meteen op een Irokees achter de gevallen man. Hij raakte hem in de borststreek, maar blijkbaar was zijn bontjas zo dik dat de kogel er niet doordrong. Even leek het wel alsof de schok van de kogel de krijger het evenwicht deed verliezen. Hij zwaaide wild met zijn armen, maar toen herstelde hij zich en strompelde verder.

Nu kwamen de Irokezen van alle kanten tegelijk opzetten. Ze dreven de boogschutters op de vlucht. Zingende Kraai en zijn vechtersbazen wierpen zich joelend en tierend in de strijd.

'Volg me naar de wigwams', beval oom Charles.

Alleen Ernest en Ti'bert gehoorzaamden. De indiaanse geweerschutters sloten zich aan bij Kraai en zijn troep. Ze gebruikten hun geweren als knuppels. Ti'bert zag talrijke Irokezen dood of bewusteloos in de sneeuw ploffen, maar voor elke vijand die sneuvelde, leken er wel vijf nieuwe bij te komen. De Mikmaq waren hopeloos in de minderheid.

Met de rug tegen een wigwam laadden de drie Fransen hun wapens. Zonder dat iemand ook maar een woord geuit had, wisten ze dat dat het enige was dat ze nog konden doen. Een laatste schot afvuren. Misschien een paar vijanden met kolfslagen vellen. En dan...

Vluchten konden ze niet. De Irokezen hadden bloed geproefd en zouden niet opgeven voor ze hen hadden ingehaald en afgemaakt. Daarna zouden ze zich op de vrouwen en de kinderen storten die angstig bij elkaar in de wigwam zaten.

'Druon!' galmde het boven het strijdgehuil uit.

Een Franse stem.

'Hier!' schreeuwde Charles.

De stem schreeuwde enkele woorden in het Irokees en daarna riep iemand in het Mikmaq dat de indiaanse vrienden van de Fransen de strijd moesten staken als ze wilden dat hun leven gespaard bleef.

Kraai riep dat zijn mannen zich moesten terugtrekken naar het dorp. De Irokezen volgden hen op de voet. Er klonk weer een bevel in hun taal. Ze hielden halt op enkele passen van de grens van het kamp.

'Zo! De familie Druon!'

De spreker was van top tot teen in vellen gehuld. Pas toen hij zijn bontmuts naar achteren schoof, herkende Ti'bert hem.

Philippe Coutard, bijgenaamd het Mes.

'Smerige verrader', siste Ernest hem toe. 'Moordenaar!'

'Het heeft me verduiveld veel moeite gekost jullie te vinden', zei Mes zonder zich iets van de verwensingen aan te trekken. 'Wie had ooit verwacht dat jullie over het meer zouden proberen te ontkomen?'

'Wat moet je van ons?' vroeg Charles.

De schurk grijnsde zijn tanden bloot.

'Ik breng je de groeten van kapitein Wilson. Hij is vreselijk boos omdat je het eigendom van zijne majesteit de koning van Engeland in brand hebt gestoken.'

Ernest spuwde verachtelijk in de sneeuw.

'De koning van Engeland is onze koning niet', gromde Charles.

Mes grinnikte.

'Wie is jouw koning? Die slapjanus uit Parijs? Kom, Druon, zelfs een pummel als jij weet dat de koning van Frankrijk hier niets meer in de melk te brokken heeft.'

'Ik heb geen zin om naar je praatjes te luisteren', snauwde Ernest. 'Je adem stinkt naar de duivel.'

Mes haalde zijn schouders op.

'Je zult me toch moeten aanhoren, Druon. In opdracht van zijne majesteit en van zijn gouverneur laat kapitein Wilson je weten dat je onmiddellijk zijn land moet verlaten. Indien je niet gehoorzaamt, trekt hij zijn handen terug en vertrouwt hij jou en je familie toe aan onze bondgenoten.'

Ti'bert voelde zijn buikspieren samentrekken. De verrader dreigde ermee hen aan de Irokezen te schenken. Een vreselijk lot, want de mannen en jongens zouden als slaven getreiterd worden tot ze er dood bij neervielen. De vrouwen en meisjes zouden overdag al het zware en smerige werk moeten doen en 's nachts de grillen van de krijgers moeten ondergaan.

'De kinderen zullen de tocht door de bergen niet overleven', zei oom Charles.

'Had je daar niet eerder aan moeten denken?' antwoordde Mes.

'Wat voor onmens veroordeelt kinderen tot de vriesdood?' vroeg Charles. 'De koning van Engeland?'

'Domme boer!' snauwde Mes. 'Je hebt jezelf ter dood veroordeeld, pummel!'

'Er komt een dag dat ik je zal ontmoeten zonder dat je je kunt verschuilen achter een troep wilde moordenaars', klonk ineens de vlijmscherpe stem van Angeline. 'Die dag zul je wensen dat je nooit geboren was.'

'Ach...' deed Mes en hij schokte met zijn schouders.

'Wat gebeurt er met de Mikmaq?' vroeg Ernest.

'Dat is mijn zaak niet. De Engelse koning vindt dat we ons niet horen te bemoeien met wat de indianen onder elkaar aanrichten.'

'Zij zijn onze vrienden. Laat hen met ons naar het noorden reizen.'

Mes schudde zijn hoofd.

'Ze hebben veel mannen gedood', zei hij vals. 'De Irokezen hebben recht op een vergoeding voor wat de Mikmaq hun hebben aangedaan.'

Hij wenkte naar een indiaan in bontpak.

'Dit is mijn vriend Blinkende Dolk', zei hij terwijl de krijger dichterbij kwam. 'Hij is de aanvoerder van deze troep dappere krijgers. Van hem hangt het af welke prijs de Mikmaq moeten betalen.'

Dolk lachte. Een wrede grijns verscheen op zijn gezicht.

'De Mikmaq zullen ons moeten teruggeven wat ze van ons afgenomen hebben', zei hij in het Frans. 'De mannen zullen werken in de plaats van de krijgers die ze gedood hebben. En de vrouwen zullen ons kinderen schenken om de plaats in te nemen van de dapperen die hun mannen vermoord hebben.'

'Maar jij hebt hen aangevallen!' protesteerde Charles. 'Mijn vrienden hebben zich alleen maar verdedigd.'

'Genoeg!' riep Mes. 'De Irokezen hebben trouw de bevelen van de koning uitgevoerd. Ze hebben schurken gestraft die trouweloze Fransen verborgen hebben gehouden. En daarom hebben ze recht op een beloning.'

Blinkende Dolk knikte hevig. Zijn grijns werd nog duivelser.

'Wel? Nog vragen?' vroeg Mes.

Knarsetandend gaf Charles toe.

'Goed. We verlaten het land dat de Engelsen van ons gestolen hebben', zei hij.

'Dat is verstandig', besloot Mes met een gemeen lachje. 'Laten we nu eens berekenen hoeveel je mij schuldig bent voor ik je een behouden reis zal toewensen.'

BALLINGEN IN DE SNEEUW

Mes dreef de Fransen samen in een wigwam. Hij sloot de deur om te beletten dat zijn gevangenen getuige waren van het drama dat zich bij de Mikmaq afspeelde. De geluiden van buiten vertelden echter hoe wreed de Irokezen tekeergingen.

Ze stortten zich als razende wolven op hun verslagen vijanden. Sommigen werden gefolterd, sommigen werden meteen afgemaakt, anderen werden gekneveld om als slaven meegevoerd te worden.

Met bruut geweld maakten ze zich meester van de bezittingen van hun slachtoffers. Na een verschrikkelijk lange tijd verstomde het gebrul en gehuil. Scherpe rook sijpelde de wigwam binnen. De Irokezen hadden het Mikmaq-kamp in brand gestoken.

Mes gooide de deur open. Met een walgelijke grijns op zijn tronie monsterde hij zijn slachtoffers. Met de dreigende Irokezen vlakbij, voelde hij zich almachtig. Hij genoot van de aanblik. De mannen die niet anders konden dan zich aan zijn wil te onderwerpen. De vrouwen die in paniek verkeerden. De angstige kinderen die zich huilend voor hem probeerden te verbergen.

Hij grabbelde naar een broodmand en slingerde de inhoud buiten in de sneeuw.

'Dames en heren! We gaan zaken doen!' brulde hij. 'Geef op! Ringen. Juwelen. Geld. In de broodmand ermee! Wapens! Hier! Vooruit! Ik heb geen tijd te verliezen!'

Zijn gevangenen waren te verbluft om te gehoorzamen. Mes zwaaide ongeduldig met de mand heen en weer.

'Jullie kostbaarheden! In de mand! Snel!' schreeuwde hij.

Steeds meer Irokese krijgers kwamen poolshoogte nemen. Mes blafte hen af. De indianen trokken zich een paar meter terug. De verrader grijnsde wreed.

'De jongens vragen zich af of er voor hen iets te rapen valt', zei hij gemelijk.

Hij bedoelde het duidelijk als dreigement.

'Wij willen onze geweren behouden', zei Charles, de eerste die het woord durfde te nemen. 'Als we niet kunnen jagen, zullen we allen sterven.'

'Eén geweer mag je houden', antwoordde Mes. 'Je merkt het, ik ben in een goedgeefse bui.'

'We hebben voedsel en pakdieren nodig voor de tocht naar het noorden', zei Ernest.

'Geen sprake van', antwoordde Mes. 'Neem voor mijn part mee wat je zelf kunt dragen, maar de Irokezen krijgen de dieren en de rest van jullie bezittingen. Ze hebben er eerlijk voor gevochten.'

'Smeerlap', schold Angeline.

'Je hebt een grote bek, wijfje. Zeker voor een vogelvrij verklaarde slet!'

Ti'bert balde zijn vuisten. Hoe graag was hij de bruut niet te lijf gegaan! Eén sprong en hij zou hem zijn dolk tussen de ribben hebben kunnen planten! Maar hij wist dat hij zich moest inhouden. Een aanval op Mes zou de Irokezen een ideaal voorwendsel bezorgen om zich op de blanken te storten...

'Ringen. Geld. Juwelen. Laat eens zien welke geschenken jullie in petto hebben voor je vriend Philippe Coutard! En waag het niet iets achter te houden, want als ik niet tevreden ben, lever ik jullie over aan de Irokezen.'

Snikkend van woede en vernedering kwam Ti'berts moeder naar voren. Ze legde haar gouden trouwring in de broodmand en het zilveren halskettinkje met het gouden kruis dat ze de dag van haar huwelijk cadeau had gekregen van haar schoonmoeder.

Mes gebaarde naar de andere vrouwen dat het hun beurt was. Een na een gooiden ze de paar sieraden die ze bezaten in de mand.

De verrader was niet tevreden met de schamele buit.

'Meer!' brulde hij. 'Jullie waren zo rijk als het water diep is! Moet ik geloven dat dit alles is wat jullie me kunnen geven?'

Charles trok een leren zakje van onder zijn hemd. Er zaten enkele goudstukken in en een handvol zilveren munten. Ernest volgde zijn voorbeeld.

'Dat is alles wat we bezitten', zei Charles. 'We zijn boeren, geen handelaars.'

'Iedereen naar buiten', beval Mes.

Schuimbekkend van woede rukte hij zakken en kisten open. De inhoud smeet hij in de sneeuw. Charles en Ernest voelden zich hulpeloos en diep vernederd, maar ze lieten het niet blijken. Ze gunden het Mes en zijn Irokese trawanten niet zich te verkneukelen in hun nederlaag.

Ti'bert vocht tegen zijn tranen. Overal zag hij dood en vernieling. De wigwams van de Mikmaq stonden in lichterlaaie. Her en der lagen doden en gewonden.

De Irokezen hadden hun oorlogsbuit al naar het bevroren meer gesleept. Stapels huiden, kleren, wapens, huisraad, voedsel. Even verderop hadden ze de Mikmaq bijeengedreven, een troep lastdieren om de buit naar het Irokezenkamp te dragen.

Ti'bert keek naar de strakke, roerloze gezichten van zijn indiaanse vrienden. Even dacht hij dat ze in het onvermijdelijke berustten, tot hij besefte hoeveel laaiende haat en machteloze woede er in hun ogen brandden.

Hij zocht vertwijfeld naar Bever. Ze hadden naast elkaar gestaan tijdens het vuurgevecht, maar daarna had de indiaanse jongen zijn stamgenoten gevolgd om het gevecht van man tegen man aan te gaan. Ti'bert vond hem niet. Dat kon alleen betekenen dat zijn vriend dood was.

Zijn blik ontmoette die van Zingende Kraai. De Irokezen hadden de jonge aanvoerder de kleren van het lijf gerukt. Daarna hadden ze hem met hun messen bewerkt. Bloed uit talloze wonden kleurde zijn borstkas rood. Ti'bert besefte met afgrijzen dat dit nog maar het begin van Kraais lijdensweg was. Zijn beulen zouden later hun wrede werk hervatten, net zolang tot de dood erop volgde.

Kraai trok zijn wenkbrauwen op. Was het alleen maar een teken van herkenning of was het een sein? De jongen antwoordde door ook zijn wenkbrauwen te bewegen. Kraai liet zijn ogen van links naar rechts rollen. In een flits werd het Ti'bert duidelijk wat de man wilde zeggen.

'Zoek de omgeving af naar overlevenden. Help de gewonden die het bloedbad hebben overleefd', smeekte Kraai.

Ti'bert knikte als teken dat hij de boodschap begrepen had. Kraai glimlachte dankbaar.

De Irokezen schreeuwden dat de gevangenen de buit op hun schouders moesten laden. Daarna jaagden ze de mannen en vrouwen het meer op. In een lange rij strompelden ze door de diepe sneeuw naar het zuidwesten.

'Geen mooi vooruitzicht voor jullie vriendjes', zei Mes op een plaagtoontje. 'Dat komt ervan als je weigert de bevelen van onze koning op te volgen. Over een paar weken weten alle indianen in het land dat ze jullie beter niet helpen.'

Met een spottende grijns keek hij toe terwijl de Franse vrouwen de povere spullen inpakten die hij hun gegund had. Nog voor ze er helemaal mee klaar waren, staken zijn Irokese helpers hun wigwams in brand.

'Vaarwel', zei de Fransman met een gemeen lachje. 'Het was alles beschouwd toch nog een plezier zaken met jullie te doen.'

Met mondvoorraad voor een paar dagen, wat tentzeilen en dekens, een kookpot per gezin en nog wat gerei, trokken de vluchtelingen het woud in. Een troepje Irokezen volgde hen. Ze waren duidelijk van plan de Fransen ook nog van hun laatste schamele bezittingen te beroven.

'Laat hen gaan!' beval Mes.

'Hij heeft toch nog een greintje menselijkheid in zijn lijf', fluisterde Charles.

De krijgers mopperden.

'Af!' brulde Mes alsof hij het tegen een meute honden had.

De Irokezen protesteerden luidkeels. Mes richtte zijn geweer op een jonge krijger.

'Af!' herhaalde hij.

De krijgers gehoorzaamden. Ze keerden terug naar het dorp, maar een paar brutale snaken waagden het toch nog met hun knuppels een paar vrouwen op de rug te slaan. Triomfantelijk schreeuwend renden ze daarna naar hun makkers, die luid lachend naar het schouwspel hadden staan kijken.

'Vooruit! Lopen! Lopen!' fluisterden Charles en Ernest hun doodsbange mensen toe.

De paar gelukkigen die nog sneeuwschoenen bezaten, liepen voorop om een pad te effenen. Iedereen keek voortdurend over zijn schouder of de Irokezen hen niet opnieuw op de hielen zaten. Het enige wat ze zagen waren rookwolken die hoog boven de sparren opstegen.

'Zingende Kraai heeft me duidelijk gemaakt dat er nog gewonden in leven zijn', fluisterde Ti'bert Ernest toe.

'Later', antwoordde zijn oom. 'Nu is het te gevaarlijk.'

In het holst van de nacht slopen Charles, Ernest en Ti'bert terug naar het uitgebrande dorp. De vollemaan verlichtte het pad. Waar de groep overdag nog door de sneeuw had moeten ploeteren, wandelden ze moeiteloos verder. Over het pad dat ze zelf met zoveel moeite gebaand hadden.

Scherpe rook hulde het vernielde dorp in een verstikkende mist. Hier en daar flakkerden nog vlammen op. Overal klonk het gesis van verkoold hout in smeltende sneeuw.

Van ver op het meer bereikten hen andere klanken. De vale duisternis had Mes en zijn traag vorderende karavaan opgeslokt, maar het woeste gebrul van zijn krijgers was nog steeds te horen. Vloekend en tierend dreven ze hun gevangenen voor zich uit.

'Arme Mikmaq', fluisterde Ernest.

'Misschien slaan Kraai en zijn mannen nog terug', zei Ti'bert.

'Ze maken geen enkele kans', gromde zijn oom. 'Niet tegen zo een overmacht.'

Ti'bert zuchtte. Ernest gaf hem een bemoedigend schouderklopje. 'Kom, jongen, aan het werk.'

Onder een sneeuwhoop nabij de uitgebrande paardenstal vonden ze de twee ruw in elkaar getimmerde sleeën waarop de vrouwen en kinderen het wintervoer naar het kamp gesleept hadden.

'Nu hoeven we niet zoveel op onze rug te dragen', zei Ernest.

Van onder een andere sneeuwhoop diepte Charles een bundel huiden op. De vellen waren hard en stijf, maar hij zou wel een manier vinden om ze soepel genoeg te maken zodat ze als mantels en dekens konden dienen.

Geduldig kamden ze de omgeving uit in de hoop nog overlevenden te vinden. Ze vonden alleen verstijfde lichamen van mannen, vrouwen en kinderen. De Irokezen hadden zeker twintig mensen vermoord.

'Moeten we hen niet begraven?' vroeg Ti'bert.

'De wilde dieren zullen hen opeten', antwoordde oom Ernest. 'In de lente zul je alleen nog hun beenderen aantreffen. Voor de indianen zal het een heilige plek zijn.'

'Maar...'

'Het is goed zo, jongen. De Mikmaq zouden het niet anders willen.'

Toen het duidelijk was dat er geen overlevenden waren, richtten ze hun aandacht weer op bruikbare voorwerpen die de Irokezen over het oog hadden gezien. De buit viel mager uit. Een bijl met gebroken steel, een paar messen, eindjes touw. Ze hadden het bijna opgegeven, toen Ti'bert aan een ruw touw met een dikke knoop trok. Uit de sneeuw kwam een net tevoorschijn waarmee de indianen vogels vingen. Charles klakte goedkeurend met zijn tong.

'Het eerste sneeuwhoen dat we ermee vangen is voor jou', zei hij.

'St!' deed Ernest.

In het bos achter het indiaanse dorp had hij een vreemd geluid gehoord. Het klonk alsof iemand met zijn tong klakte. Instinctief trokken ze alle drie hun jachtmes.

'Volg me', siste Ernest.

Om niet domweg in een hinderlaag te belanden, slopen ze in een grote boog door het bos. Als slangen gleden ze door het struikgewas, traag en voorzichtig zodat geen krakende takjes hen verraadden.

'Waar zijn jullie?' fluisterde ineens een stem in het Mikmaq.

'Bever!' riep Ti'bert.

'Niet zo luid', vermaande Ernest hem.

'Bever?' fluisterde de jongen.

'Hier.'

Ti'berts indiaanse vriend kwam vanachter een struik tevoorschijn.

'Je bent ontsnapt!' zei Ti'bert.

Zijn hart bonkte wild van vreugde.

'Ik moest', antwoordde Bever met een verstikte stem. 'Terwijl de anderen vochten, moest ik mijn grootvader helpen.'

Aan zijn voeten lag stamhoofd Gele Maan. Rond hem was de sneeuw rood van het bloed.

'*Sagamo?*' fluisterde Ernest.

De gewonde deed zijn ogen open.

'Fransman?'

Hij was zo zwak dat het woord als een zucht klonk. Ernest haalde een flesje van onder zijn bontjas en zette het aan de lippen van de gewonde. Gele Maan dronk met moeite een paar druppels brandewijn. Slikken deed blijkbaar pijn.

Ti'bert haalde een slede.

'We nemen je mee naar ons kamp', zei hij. 'De vrouwen zullen je verzorgen.'

Gele Maan bewoog traag zijn hoofd.

'Ik ben al dood', kreunde hij.

Ernest tilde zijn hoofd op. De oude man trok een grimas van de pijn. Een strijdbijl had een diepe wond in zijn schedel gemaakt. Hij had veel bloed verloren, vooraleer de koude de bloeding gestelpt had.

'Je gaat mee naar het kamp', besliste Ernest. 'We kunnen je niet als een beest laten doodgaan.'

Met takjes van jonge sparren maakten Ti'bert en Bever een bed op een slede. Het opperhoofd was bewusteloos toen Ernest hem erop vastbond. Onderweg gaf hij geen teken van leven, maar toen Angeline zijn wond onderzocht, deed hij even zijn ogen open. Het leek zelfs alsof hij Ti'berts moeder met een glimlachje bedankte.

'Kun je hem genezen?' fluisterde Ti'bert.

'Neen.'

Bever legde een hand op de schouder van zijn vriend.

'Niet treuren', zei hij. 'Gele Maan heeft gevochten als een grote krijger. Iedereen zal trots op hem zijn.'

Hij slikte zijn tranen weg en fluisterde: 'En iedereen zal weten dat zijn vrienden erbij waren om afscheid van hem te nemen toen hij als een held naar de andere wereld vertrok.'

De ogen van de *sagamo* vielen toe. De glimlach om zijn mond werd breder. Toen stokte zijn adem.

BLIZZARD

De poolster in de heldere nachthemel wees hun de weg naar het noorden. Oom Charles sloeg in zijn geheugen vormen van heuvels, rotsen of merkwaardige bomen op. Dat waren de bakens waarop hij zich overdag richtte om niet te verdwalen.

Ti'bert, Bever en de ooms baanden een pad met hun sneeuwschoenen. De vrouwen volgden met de sleden. Met zijn tweeën konden ze een vracht verplaatsen waar anders vijf of zes dragers voor nodig waren geweest. Heuvels afdalen leek soms meer een kinderspelletje dan werk.

Voor ze zich echt zorgen hoefden te maken over hun slinkende voedselvoorraad, schoot Ernest een elandenmoeder en haar bijna volwassen jong. Daarmee hadden ze extra vlees om een week langer van te leven.

Ti'bert en Bever hadden minder succes met de jacht. Een paar maal wilden ze een vangnet opzetten, maar in het onbekende land vonden ze geen geschikte plek om vogels te strikken. Diep teleurgesteld gaven ze hun pogingen op.

Dag en nacht bleef iedereen extra waakzaam voor het geval dat Mes hen liet volgen, maar de verrader en zijn handlangers lieten zich niet zien. Blijkbaar vond de schurk het niet langer de moeite zijn verslagen landgenoten nog te tergen.

Ineens betrok de hemel. Een loeiende stormwind zwiepte de kruinen van de sparren tegen elkaar. Het bos leek te huilen van de pijn.

'Blizzard!' scheeuwde Charles.

Een dichte sneeuwmuur kwam dreigend naar hen toe. Instinctief besloten de Fransen tenten op te zetten, maar Bever hield hen tegen.

'Niet boven op de sneeuw', zei hij. 'Eronder is beter.'

In een paar woorden legde hij uit dat ze een kuil moesten graven in de sneeuw, ruim genoeg om iedereen een ligplaats te bieden. Terwijl mannen, vrouwen en kinderen de kuil maakten, hakte hij en Ti'bert enkele armdikke boompjes om. Ze sjorden ze aan elkaar tot een geraamte waarop ze de tentzeilen uitspreidden. Boven op dat dak legde Bever een laag dennentakjes zodat de sneeuwmassa straks niet aan het zeil kon vastvriezen.

Met meer takjes bedekten ze vloer en wanden. Net voor de sneeuwstorm hen bereikte, was de schuilkelder klaar. Bever maakte het werk af met een aparte ruimte bij de ingang waar de vrouwen een vuurtje konden stoken om eten te bereiden en sneeuw te smelten voor drinkwater.

'Lekker warm hol', besloot de jonge indiaan. 'En lekker sterk.'

'Knap gedaan', vond oom Charles.

Bever bloosde verlegen om het compliment.

'De jagers van de stam van de Steur verschuilen zich in de winter vaak onder de sneeuw', zei hij, alsof hij zich wilde verontschuldigen voor zijn handigheid.

De storm hield een week aan. Om de paar uur moest iemand de ingang vrijmaken. Na enkele dagen was de pijp uitgegroeid tot een heuse tunnel. Het dak kreunde en kraakte onder de sneeuwlast, maar het hield stand.

Bever had gelijk gehad toen hij voorspelde dat het hol lekker warm zou zijn, maar gezellig was het niet. De mensen zaten dag en nacht op elkaar geperst in de bedompte ruimte. Naar het toilet gaan, betekende zich blootstellen aan de sneeuwstorm. Wanneer de vrouwen een maaltijd bereidden, drong scherpe rook naar binnen. Het duurde uren voor de stank wegtrok en iedereen weer min of meer normaal kon ademhalen.

De kleine kinderen verveelden zich en zeurden aan één stuk door. Als ze uiteindelijk toch in slaap sukkelden, werden ze geplaagd door vreselijke nachtmerries. Ze droomden dat de Irokezen waren teruggekeerd om hen te vermoorden en hun huis in brand te steken. Huilend schrokken ze wakker. Het duurde vaak uren voor ze wilden geloven dat er in het duister geen woeste krijgers op hen loerden.

Elke avond troostten de mensen elkaar met gebeden. Daarin herdachten ze altijd eerst de overledenen, vooraleer God te smeken dat hij hen veilig tot bij de kolonisten in Québec zou leiden.

Angeline maakte zich zorgen over de voedselvoorraad. Al had ze de porties tot het minimum herleid, hun eten zou over enkele dagen op zijn. Charles beloofde dat hij op jacht zou gaan zodra de storm luwde. In de verse sneeuw, hoopte hij, zou het wild extra kwetsbaar zijn.

'Wanneer zal de storm uitgeraasd zijn?' vroeg Angeline.

'Alleen God weet het', zuchtte Charles.

Brandhout halen was het moeilijkste en gevaarlijkste karwei. Voor de blizzard was losgebarsten, had Bever een dode boomstam gezien op slechts een tiental stappen van het hol. De sneeuwstorm raasde echter zo fel dat de boom haast niet terug te vinden was. Lucht, bodem en bomen waren niet van elkaar te onderscheiden, alles zag even wit. Een voetafdruk bleef slechts enkele tellen zichtbaar voor sneeuw en wind hem uitwisten.

Met de hulp van Ti'bert ging Bever op zoek. De Franse jongen moest bij de ingang van het hol blijven staan. Bever bond een touw om zijn middel en ging op weg in de richting waar hij de boom vermoedde. Het duurde een eeuwigheid voor hij terugkwam met het goede nieuws dat het uiteinde van het koord aan de droge stam gebonden was.

De jongens sleepten een voorraad voor enkele dagen naar het hol. Toen ze later een nieuwe vracht wilden ophalen, was het touw onder de sneeuw verdwenen. Bever moest weer op de tast naar hout gaan zoeken.

Wanneer het maar even kon, vluchtten de jongens het bedompte hol uit om aan de rand van de stooktunnel van frisse lucht te genieten. Ze zaten met hun rug naar de wind en zagen er na een paar minuten al uit als sneeuwmannen in een bontjas.

Daar praatten ze over alles, behalve over hun dode familieleden. Geen van beiden vond de kracht om de verschrikkelijke herinneringen uit de voorbije weken en maanden met de ander te delen.

Om zijn zinnen te verzetten, ondervroeg Ti'bert zijn vriend honderduit over handigheidjes die de indiaan als kind geleerd had. Zo ontdekte hij dat voor Bever het oerwoud geen angstaanjagende wildernis was, maar een schatkamer die voedsel leverde en gereedschap om zowat alles te maken wat een mens nodig had om te overleven.

Bever was op zijn beurt hevig geïnteresseerd in hoe de blanken geleefd hadden voor ze uit hun grote houten huizen verjaagd waren. Hoe hadden ze dieren zoals koeien of ossen getemd? Wie maakte hun geweren? Hij vroeg zich ook af hoe de blanken het ooit gewaagd hadden de oceaan over te steken. Hij had het 'water zonder einde' nog maar een paar keer in zijn leven gezien. Het had telkens zoveel indruk op hem gemaakt dat het regelmatig een rol speelde in zijn nachtmerries.

'De stam van *sagamo* Henri is naar haar jachtgebied bij het grote water gevlucht', zei Ti'bert. 'Ik zou mijn vrienden graag opzoeken. Als je meekomt, zal ik je leren dat je niet bang hoeft te zijn van de oceaan.'

'Had je veel vrienden bij de stam van de Beer?' vroeg Bever, een beetje jaloers bij de gedachte dat de blanke jongen nog andere indiaanse vrienden had.

'Neen...' moest Ti'bert bekennen. 'Eigenlijk mis ik er maar één. Ze heet Eloïse.'

Bever grinnikte.

'Wat een vreemde naam', zei hij.

'Eloïse is haar doopnaam. De Mikmaq noemen haar ook Zoete Bes.'

Bever schoot in een lach.

'Een meisje is je vriend?' vroeg hij treiterend.

'Wat is daar fout aan?' snauwde Ti'bert.

'Hoe oud is ze?' wilde Bever weten.

'We zijn in dezelfde nacht geboren.'

Bever gaf hem een klopje op de schouder, alsof hij een wijze oude man was.

'Jongens van onze leeftijd hebben geen meisje als vriend', zei hij op de toon van een strenge vader. 'Zeker geen meisje dat even oud is als wij. Meiden van die leeftijd horen niet met jongens te spelen. Ze moeten zich klaarmaken voor de man die hun ouders voor hen zullen kiezen.'

'Maar Zoete Bes is te jong om al een man te hebben!' reageerde Ti'bert verontwaardigd.

Bever schoot in de lach.

'Je bent verliefd!' riep hij.

'Huh!' deed Ti'bert.

Bever gaf zijn vriend een duw met zijn elleboog. Sneeuw gleed van hun bontmantels.

'Wil je met haar trouwen?' vroeg Bever.

Ti'bert haalde zijn schouders op. Wat een geluk dat hij een grote kap droeg, dacht hij, zodat zijn vriend niet kon zien dat hij bloosde.

'Wel?' drong de jonge indiaan aan.

'Ze zal al lang getrouwd zijn, voor ik haar weerzie', antwoordde Ti'bert.

Zijn stem klonk schor. Nog voor hij de zin had afgemaakt, had hij er spijt van dat hij hem had uitgesproken. Hij had zomaar het grote geheim verraden waarover hij urenlang kon liggen piekeren. 's Nachts, in het donkere sneeuwhol, wanneer hij de slaap niet kon vatten.

'Weet haar moeder dat je een oogje op haar hebt?' vroeg Bever.

'Huh!'

'Haar vader?'

'Huh!'

Ti'bert wilde niet antwoorden, maar Bever drong aan.

'Misschien willen haar ouders wel dat hun Zoete Bes op je wacht', zei hij.

'Waarom zouden ze hun dochter aan een berooide Fransman geven?' gromde Ti'bert.

'Omdat ze je een mooie en sterke vent vinden en hopen dat je hun even mooie en sterke kleinkinderen geeft', schoot Bever met-een terug.

'Bemoei je met je eigen zaken', grommelde Ti'bert en hij liet zich in de tunnel zakken om niet nog meer geheimen uit zijn dromen te verraden.

Toen de storm uitgeraasd was, herkende Ti'bert het bos niet meer. De sparren waren in witte piramides veranderd. De sneeuw had hun stammen opgeslokt, zodat hun kruinen direct op de grond leken te rusten. Waar de wind vrij spel had gehad, had hij witte bergen gebouwd, zo hoog dat ze hier en daar zelfs boven de bomen uitstaken.

De hemel was winters grauw maar het gefilterde zonlicht was nog sterk genoeg om de sneeuw zo te doen schitteren dat het pijn deed aan de ogen.

De ooms waren de wanhoop nabij. Ze zagen niet in hoe ze de tocht in die witte woestenij konden voortzetten. Was de familie veroordeeld om nog weken, misschien wel maanden in het hol te verblijven? Omkomen van de koude zouden ze niet, maar wel verhongeren. Het leek uitgesloten dat er zich nog dieren boven op de berg bevonden. Waar moesten ze voedsel vandaan halen om het vol te houden tot de weg naar het dal weer begaanbaar was?

Ze vroegen aan Bever waar de jagers van zijn stam hun prooien zochten na een sneeuwstorm. De jongen wees vol zelfvertrouwen naar de vallei.

'Elanden en herten moet je in het dal zoeken', zei hij. 'Daar vinden ze voedsel, want de sneeuw ligt er niet zo dik.'

'Het dal! Dat is haast een dag lopen!' riep Charles.

De jonge indiaan knikte. Voor hem leek de lange tocht geen probleem te zijn.

'Beneden is er eten voor mensen en dieren', drong hij aan.

'Laten we ons kamp naar het dal verhuizen', stelde Ernest voor.

'Waar mensen wonen, blijven de dieren weg', antwoordde Bever. 'Het is beter hier te wonen en beneden te jagen tot we genoeg voorraad hebben.'

En dus gingen ze met zijn vieren op weg. Bever, Ti'bert, Charles en Ernest, beladen met bijlen, messen, gerei om vuur te maken en een pannetje om sneeuw in te smelten. Het vogelnet namen ze natuurlijk ook mee, net als hun enige geweer en een boog die Bever tijdens de storm gemaakt had. Hij verwachtte niet dat hij daar veel wild mee zou schieten, want zijn pijlen waren simpele stokjes met een houten punt. Hij had ze in het vuur gehard, maar dat maakte ze nog lang niet zo dodelijk als pijlen met een ijzeren punt.

De jonge indiaan leidde de blanken behendig door het ingesneeuwde oerwoud.

'Ken je de weg?' vroeg Ti'bert.

'Neen, maar je kunt niet verdwalen', grinnikte Bever. 'Als je bergaf loopt, kom je altijd in het dal uit. Dat weet zelfs een kind.'

Ti'bert schaamde zich omdat hij zo een domme vraag had gesteld.

'Je moet wel uitkijken dat je niet in een ravijn tuimelt', waarschuwde Bever met een monkellachje.

De tocht duurde niet eens half zo lang als de ooms gevreesd hadden. Onderweg kruisten ze tweemaal hertensporen.

'Ook zij zijn op weg naar het dal', fluisterde Bever.

Diep in de vallei was de sneeuwlaag veel minder dik. Hier en daar staken struiken boven het witte tapijt uit. De jonge takjes waren gegeerd voer voor groot wild zoals elanden of herten. Charles en Ernest gromden tevreden. Met elke stap leek de kans op rijke buit toe te nemen.

Uiteindelijk bereikten ze het diepste punt. Een vlakte van enkele honderden meters breed waar hier en daar de kale kruinen van loofboompjes uitstaken. Een wilgenbosje trok meteen de aandacht van Bever.

'Daar stroomt een riviertje', zei hij.

En inderdaad, nadat hij de sneeuw verwijderd had, kwam een heldere ijslaag tevoorschijn. Eronder kabbelde water. Bever volgde de loop van de bevroren beek. Hij stootte bijna meteen op sporen van dieren. Het ijs was op die plek opvallend dunner, omdat het regelmatig werd opengehakt door de elanden en herten.

'Nu wachten we tot een dier komt drinken', zei hij. 'En dan...'

Hij wees naar het geweer.

'Paf!'

Ernest groef zich in onder een struik. De anderen klauterden een eind de helling op om een kamp op te slaan. Het was niet meer dan een gat in de sneeuw, toegedekt met dennentakken. Volgens Bever volstond het, omdat ze toch niet langer dan een nacht ter plaatse hoefden te blijven.

'Jullie hebben een geweer', zei hij hoopvol. 'Daarmee kun je zoveel prooien schieten als je maar wilt.'

'Je kunt ook missen', mopperde oom Charles.

'Ernest niet. Hij is toch een scherpschutter?'

'Zelfs dan is niet elk schot raak.'

Bever schudde ongelovig zijn hoofd. Zijn vertrouwen in vuurwapens was zo groot dat hij zich niet kon voorstellen dat niet elke kogel dodelijk was...

Charles installeerde zich in het slaaphol. Van daaruit hield hij zijn broer in de gaten om snel hulp te kunnen bieden als het nodig was. Bever en Ti'bert keerden intussen terug naar een hertenspoor dat ze op de heenweg gekruist hadden.

Het enige geluid in het bos kwam van hun adem en van de pakken sneeuw die van de dennen schoven.

Plof!

Plof!

Ineens stak Bever zijn hand op. Hij bewoog zijn vingers. Ti'bert was blij dat hij de tekentaal van de indianen geleerd had.

'Hert!' seinde Bever. 'Rechts! Onder!'

Toen zag ook Ti'bert de prooi. Het was een jong dier, een jaarling met een nauwelijks ontwikkeld gewei. Het rekte zich uit om mos van een dennentak te plukken.

De wind kwam uit de goede richting. Het hertje kon hen niet ruiken. De kans dat het hen zou horen, was klein. De sneeuw dempte alle geluiden.

Bever legde met gebaren zijn plan uit. Hij wilde dat Ti'bert op een meter of twintig boven de prooi postvatte. Hij zou intussen de helling afdalen om het dier een pijl in de flank te schieten. Het schot zou niet dodelijk zijn. Het hert zou op de vlucht slaan. Om aan zijn aanvaller te ontkomen, zou het bergop lopen. Recht in de armen van Ti'bert. Hij hoefde het dan maar af te maken met zijn mes.

'Begrepen', gebaarde de Franse jongen.

Even leek het plan in duigen te vallen toen een grote plak sneeuw van de spar op het hertje neerplofte. Het diertje sprong opzij, maar het herstelde zich snel van de schok en wijdde al zijn aandacht weer aan het mos.

Bever zat op zijn knieën. Alleen zijn hoofd en schouders staken nog boven de sneeuw uit. Hij spande traag zijn boog. Met ingehouden adem legde hij aan. Het eerste schot moest raak zijn. De houten pijl zou de huid doorboren, maar niet diep genoeg om de prooi te doden. Als Ti'bert het hert niet kon vangen, zou het ontkomen met de pijl in zijn flank. En dat wilde Bever absoluut voorkomen, want een gewond dier laten lijden was tegen de regels van zijn stam.

'Vergeef me dat ik je pijn doe', bad hij in stilte.

Zijn vader had hem geleerd altijd eerbied te tonen voor een prooi. Een jager doodde dieren om zichzelf en zijn gezin van vlees te voorzien. Hij vermeed het onnodig leed te veroorzaken en hij vergat ook nooit zijn prooi te bedanken.

'Ik zal je vlees aan goede mensen te eten geven', prevelde Bever. 'Daarom dank ik je voor je offer.'

Hij liet de pees los. Een schok ging door zijn schouder toen de pijl vertrok. Een oogopslag later zag hij dat hij zijn doel getroffen had. De pijlschacht was voor bijna de helft in de prooi verdwenen.

Het hertje wankelde. Het leek alsof het door zijn poten ging zakken, maar toen herstelde het zich. Bever voelde zijn hart wild bonken. Het dier rende met grote panieksprongen de helling op. Helemaal zoals hij voorspeld had.

'Ja!' schreeuwde hij.

Ti'bert rende zo hard als zijn sneeuwschoenen het toelieten om het gewonde dier de pas af te snijden. Het hert probeerde hem te ontwijken. Ti'bert sprong en landde op de rug van het dier. Hij ramde zijn mes in de hals. Zijn prooi rukte zich los en strompelde nog enkele meters ver alvorens dood neer te zijgen.

Ti'bert wiste zweet van zijn voorhoofd.

'Het bloed!' gilde Bever terwijl hij de helling opklauterde. 'Laat het niet verloren gaan! Drink het bloed!'

Hij duwde de weifelende Ti'bert ruw opzij en zette zijn mond aan de wond. Gulzig slurpte hij het dampende, rode vocht op.

'Drink!' beval hij. 'Alle leven zit in het bloed.'

Ti'bert gehoorzaamde met tegenzin. Het bloed smaakte zoet, maar lekker vond hij het niet. Hij gebaarde dat hij geen trek meer had. Bever zoog het bloed tot de laatste druppel op.

BEVER WORDT GIDS

De blizzard bleek zelfs het wild uit de beschutte vallei verjaagd te hebben. Na een hele dag loeren in de koude, hadden de ooms alleen een verdwaalde, uitgemergelde bok kunnen buitmaken.

Het vogelnet van de jongens was leeg gebleven en de vallen die ze her en der hadden gezet, hadden evenmin iets opgeleverd.

Zelfs als ze uiterst zuinig waren, had de jachtpartij amper voedsel voor enkele dagen opgeleverd.

'We moeten verder trekken, nu we de kracht nog hebben', oordeelde oom Charles ten einde raad.

'De storm is uit het noorden gekomen', zuchtte oom Ernest moedeloos. 'Daar is de meeste sneeuw gevallen. De weg over de bergen is versperd.'

'En toch moeten we het erop wagen', hield Charles vol. 'Het is onze enige kans. Als we blijven stilzitten, gaan we allemaal dood van de honger.'

Bever volgde de discussie met gefronste wenkbrauwen. Hij durfde niet tussenbeide te komen. Wanneer mannen over gewichtige onderwerpen praatten, hoorden jongens te zwijgen. Als het over ernstige zaken ging, hadden in zijn stam alleen mannen recht van spreken.

Ti'bert merkte echter dat hem iets op de lever lag.

'Waarom vragen we niet aan Bever wat we moeten doen?' stelde hij zijn ooms voor.

De jonge indiaan keek verlegen naar de grond. Hoe durfde Ti'bert! Zomaar, zonder een beleefde, voorzichtige inleiding, voorstellen dat hij zou helpen beslissen over het lot van de familie?

De mannen knikten echter instemmend. In hun ogen had Bever zeker recht van spreken. Had hij niet getoond hoe goed hij op de hoogte was van het leven in de onherbergzame bergen? De jachtpartij had maar een schrale buit opgeleverd, maar zonder de indiaan waren ze met lege handen thuisgekomen.

'Er is geen reden waarom we niet naar hem zouden luisteren', zei Ernest.

Bever bloosde.

'Doe niet flauw', porde Charles hem aan. 'Zeg op. Wat zouden de Mikmaq doen als ze net als wij in de nesten zaten?'

'Er is een les die ik geleerd heb van de oude mannen', begon de jongen voorzichtig zoals het hoorde wanneer over ernstige zaken gesproken werd. 'De meeste Mikmaq overwinteren bij de zee omdat het leven er in het seizoen van de Witte Beer zoveel gemakkelijker is. Langs de kust is ook in barre tijden altijd wel voedsel te vinden.'

'Waarom overwinterde de stam van de Steur dan in het binnenland?' onderbrak Ernest hem.

Zoals de meeste blanken had hij weinig begrip voor de omslachtige manier waarop de indianen over belangrijke dingen spraken. Hij snapte niet dat Bever bang was iemand te kwetsen door direct en recht voor zijn raap te spreken, zoals de Fransen deden.

'Mijn voorouders hebben geleerd voedsel te bewaren voor de koude tijd', ging de jongen onverstoorbaar verder. 'Dat vonden ze gemakkelijker dan heen en weer te reizen. Maar ze hielden er altijd rekening mee dat ze in tijden van grote nood weer de wegen van hun vaders konden volgen.'

De ooms gromden ongeduldig. Ze hadden geen oren naar een lesje geschiedenis, maar verwachtten goede raad die ze meteen in de praktijk konden brengen.

'Bedoel je dat wij naar de oceaan in het oosten moeten trekken in plaats van naar de grote rivier in het noorden?' vroeg Ti'bert.

Bever sloeg zijn ogen neer. Hij was er nog altijd niet uit. Paste het een schuchtere jongen wel de blanke familiehoofden te beleren? Was het aan hem te zeggen dat het fout was naar het noorden te trekken? Mocht hij hun zo een zware beslissing opdringen?

'Is het dat wat je bedoelt?' drong Ernest ongeduldig aan. 'Spreek op, jongen.'

'De weg naar het oosten is moeilijk, maar niet zo zwaar als die naar het noorden', zei Bever.

'Hoe weet je dat?' vroeg Charles wantrouwig. 'Ben je ooit in de winter naar de kust gereisd?'

'Neen, maar ik ken de verhalen van de ouderen. Ze vertelden dat de rivieren de weg wijzen naar onze oude jachtgronden aan zee. We moeten aan deze kant van de bergen het water volgen tot aan de bron waaruit het ontspringt. Het wijst ons een gemakkelijke weg naar de top. Daarna dalen we de bergen af, zoals het water naar de oceaan stroomt. Zo kunnen we niet verdwalen.'

'Mm...' deed Charles.

'Als we eenmaal de zee bereikt hebben, zal het gemakkelijk zijn om voedsel te vinden', verzekerde Bever de ooms. 'Jullie hebben immers lange tijd bij de oceaan gewoond.'

De vrouwen hadden gespannen het gesprek gevolgd.

'Hoelang duurt de reis naar de kust?' vroeg Ti'berts moeder.

'Vele dagen.'

'En naar het noorden?'

'Meer. Veel meer.'

Angeline keek in stilte naar haar schoonzussen. Ze hoefde hun opinie niet te vragen. Van alle gezichten viel zo af te lezen wat zij dachten.

'Dan lopen we naar het oosten', besliste ze met een stoute blik naar de mannen, die nog leken te twijfelen. 'Als Bever zegt dat de weg naar de kust gemakkelijker is en dat we daar voedsel kunnen vinden om de winter te overleven, dan volgen we zijn raad.'

Charles en Ernest legden zich in stilte neer bij haar beslissing.

Bever gloeide van trots, maar toen begon toch weer onzekerheid te knagen. Betekenden de woorden van Ti'berts moeder dat de Fransen hem tot hun gids hadden uitgeroepen? Hij, een jongen die nog niet de kans had gehad de proeven af te leggen om te bewijzen dat hij het waardig was een man genoemd te worden?

Hij wilde in paniek uitschreeuwen dat hij die taak niet op zich durfde te nemen, maar toen merkte hij dat zowel Ti'bert als de ooms hem bemoedigend toeknikten.

'Wanneer vertrekken we?' vroeg oom Ernest.

'Morgen. Bij het eerste daglicht', stelde Charles voor.

Bever haalde diep adem.

'Goed', zei hij. 'Eerst volgen we de beek waar we gejaagd hebben en daarna steken we de bergen over die tussen ons en de kust liggen.'

Hij was de gids geworden die de vluchtelingen naar een veilig onderkomen zou leiden.

De dagen waren kort, daarom verlieten Ti'bert en Bever het kamp al voor het eerste ochtendlicht. In het duister liepen ze in de richting van de merkpunten die de jonge indiaan de vorige avond in zijn geheugen had geprent.

Zolang ze het beekje volgden, leek de karavaan vooruit te vliegen. Na nog geen dagmars hadden ze de voet van een rij steile heuvels bereikt. Daarboven zou de bron liggen. En eenmaal over de top, lag de weg naar zee voor hen open.

Bever kreeg van iedereen schouderklopjes. De redding leek nabij.

De volgende ochtend klauterden de jongens op handen en voeten tegen een steile helling op. De anderen zouden in hun voetsporen volgen. Een helse onderneming, want mannen en vrouwen moesten de sleden tussen bomen en rotsen naar boven wringen. Vaak moesten ze ook de kinderen dragen, want die raakten niet vooruit in de diepe sneeuw. Ze vorderden zo traag dat de twee jongens in de voorhoede al snel hun stemmen niet meer hoorden.

'Wacht', hijgde Ti'bert.

Bever schudde zijn hoofd en repte zich voort.

'De groep kan niet volgen', drong Ti'bert aan.

'Als we de top bereikt hebben, keren we terug om het pad breder te maken.'

Ti'bert ploeterde verder achter hem aan. Plots hield Bever stil. Zijn handen en vingers seinden dat hij wild had ontdekt. Ti'bert maakte zich klein terwijl zijn vriend met boog en pijl het bos in sloop. Na een paar tellen was hij uit het zicht verdwenen.

Even later weerklonk een triomfkreet. Ti'bert stapte in Bevers voetsporen. Een heel eind bergaf trof hij zijn vriend aan.

'Een jonge eland!' fluisterde de indiaan opgewonden. 'Mijn pijl heeft hem in de hals geraakt. Hij is naar daar gelopen.'

Een bloedspoor leidde hen naar de top van een sneeuwhoop. Bever stak zijn hand op als teken dat Ti'bert halt moest houden. Hij ging plat op de sneeuw liggen om over de rand heen te kijken.

'Ravijn', seinde hij. 'Gevaarlijk.'

Hij liet zich op zijn buik terug naar zijn vriend glijden. Hij bewoog traag, zonder bruuske bewegingen, om de sneeuw niet te laten instorten. Ti'bert stak een hand uit naar zijn vriend, toen er iets kraakte in de sneeuw onder Bevers buik. Het klonk niet luider dan een brekend takje, maar seconden later begaf de sneeuwbrug het. Bever kon nog net Ti'berts hand vastgrijpen.

Ti'bert durfde niet te bewegen. In doodsangst staarde hij in het meters diepe gat waar Bever net niet in verdwenen was.

'Oef', deed de indiaanse jongen. 'We hebben geluk gehad.'

Ti'bert trok hem traag naar zich toe. Links en rechts kwam nog meer sneeuw los. Een kleine lawine plofte in het ravijn. Bever kroop langs hem heen. Hij was in veiligheid.

Ti'bert voelde zijn hart in zijn keel kloppen, maar hij weigerde te tonen hoe bang hij wel geweest was.

'Vlees voor drie, vier dagen', jubelde de jonge Mikmaq terwijl ze met een grote omweg de helling afdaalden. 'Jouw mensen zullen ons dankbaar zijn!'

Van de prooi staken alleen de achterpoten nog als stokken uit de sneeuw. Met vereende krachten legden de jongens de buit bloot. Met een haast bovenmenselijke inspanning sjouwden ze het dode dier naar boven.

Toen ze eindelijk het pad bereikten, was het donker. Ti'bert zette zijn handen als een trechter voor zijn mond.

'Charles! Chaaaaaaaarles!' schreeuwde hij, maar er kwam geen antwoord.

'We sleuren de eland naar het kamp', besloot Bever. 'Bergaf gaat het gemakkelijk.'

Ti'bert grinnikte moedeloos.

'Gemakkelijk? In het donker?' vroeg hij.

'Stel je voor dat de eland een slede is en dat je de ogen van een uil hebt. Dan gaat het een stuk gemakkelijker', spotte Bever.

'En als ik in de afgrond donder? Moet ik me dan voorstellen dat ik een arend ben?'

'Of een tamme kalkoen die zich voor een arend houdt', antwoordde Bever met een spotlachje.

'Gobbeldegobbeldegobbel?' deed Ti'bert.

'Je kent de taal al. Dat is een goed begin', lachte zijn vriend.

Zo vatten ze de weg aan naar de plek waar ze vermoedden dat de familie haar kamp opgeslagen had. Bever leek zich elk bochtje, iedere bult, elke rots en boom te herinneren. Regelmatig bleef hij stilstaan om naar de geluiden van het woud te luisteren. Ti'bert kreeg steeds meer bewondering voor de jonge Mikmaq. Hij was ook een beetje jaloers omdat een knul die even oud was als hij, zoveel meer wist.

Hij riep weer de naam van zijn oom. Deze keer volgde er wel een antwoord. Een kreet uit de duisternis.

'Hierheen!' riep Charles.

'Vlees!' schreeuwde Bever om het goede nieuws te melden.

In de verte zwaaide iemand met een fakkel om de weg naar het kamp te tonen. Ti'bert liet een juichkreet horen, maar die klonk nog niet half zo luid als de vreugdekreten waarmee even later Bevers buit werd ontvangen.

HONGERLIJDERS OP BEZOEK

Marie-Ange moest erover waken dat het vuur niet uitdoofde. Ze was Ti'berts zus, twee jaar jonger dan haar broer. Charles vond het geen goed idee die belangrijke taak aan een kind toe te vertrouwen, maar opnieuw had Angeline haar wil doorgedreven.

'De volwassenen werken de hele dag al zo hard', had ze gezegd. 'Het zal haar niet deren dat ze een beetje slaap mist.'

Charles had op het punt gestaan haar tegen te spreken, maar Angeline snoerde hem kordaat de mond.

'En zeg nu niet dat Ti'bert en Bever ook nog voor het vuur moeten zorgen!' keef de vrouw. 'Zij doen evenveel werk als de grote mensen. Laat die jongens uitslapen!'

De vrienden waren in hun nopjes dat ze bij 'de groten' werden gerekend. Bever voelde zich zelfs alsof hij met succes de Grote Proef had afgelegd en opgenomen was in het legertje van Zingende Kraai.

Midden in de nacht schudde Marie-Ange oom Ernest wakker.

'Luister!' siste ze.

Ernest spitste zijn oren. Het geknetter van natte takken in het vuur overstemde haast alle andere geluiden, maar toen hoorde hij toch een zacht gebrom in de duisternis.

'Wolven', zei hij.

Het verbaasde hem niet dat er hongerige roofdieren rond het kamp slopen. Die hadden natuurlijk het vlees geroken. Een verlokkelijke geur die kilometers ver doordrong.

Hij zwaaide met een brandende tak in het rond. Uit het bos klonken de geluiden van dieren die geschrokken achteruitweken.

'Wolven!' schreeuwde Ernest en hij gooide de fakkel in de richting waar hij laatst de geluiden gehoord had.

Op slag was iedereen wakker. Charles en Ernest renden met vlammende fakkels rond de kampplaats om de roofdieren af te schrikken.

'Wij zijn niet de enigen die wanhopig naar jachtbuit zoeken', stelde Bever nuchter vast. 'Ook de wolven zijn uitgehongerd.'

'Was Doux maar hier', grommelde Ti'bert. 'Hij zou er korte metten mee maken.'

De Irokezen hadden ook de grote herdershond in beslag genomen om hem te slachten en op te eten.

'Plant fakkels rond het kamp', beval Charles.

'Wacht daar even mee', stelde Bever voor. 'Het is beter dat we de wolven laten terugkomen. Dan kun je er eentje doodschieten. Laat zijn lijk in de sneeuw liggen. De rest van het roedel zal bang zijn en ons voor de rest van de nacht met rust laten.'

'Hoe wil je dat ik een wolf doodschiet in het donker?' vroeg Charles.

'Met geluk', antwoordde Bever droogjes.

Ti'bert schoot in een lach. Het maakte oom Charles boos.

'Snotjongens!' riep hij, maar deed toen toch wat de Mikmaq hun aangeraden had.

Het leek een eeuwigheid te duren voor de wolven weer naderbij kwamen. De hele tijd zaten de mannen buiten de warme kring van het vuur te bibberen en tegen de slaap te vechten. Oom Charles met het geweer in de aanslag, Ernest en de jongens met jachtmessen in de vuist.

Ti'bert werd steeds zenuwachtiger. Wat kon hij met zijn mes uitrichten tegen een wolf? Had hij een geweer gehad, dan, ja...

Bever was de eerste die een roofdier opmerkte. Hij tikte Charles op de arm.

'Zie je zijn ogen blinken?' fluisterde hij.

Twee vage, groenachtige vlekjes. De wolf was de mensen tot op nog geen tien stappen genaderd. Charles legde aan. De knal van het geweer weerkaatste wel honderd keer tegen de bergflanken.

De wolf jankte, maar verstomde na die ene pijnkreet. Het kon niet anders of hij was dodelijk getroffen. Het roedel sloeg op de vlucht, zoals Bever voorspeld had. De dieren raakten zelfs zo in paniek dat hun lawaai het hele bos deed zinderen.

Bever liep met een fakkel in de ene hand en een mes in de andere naar de plek waar hij de wolvenogen het laatst had zien blinken.

'Pas op!' riep Charles hem na.

Bever stelde een onbeperkt vertrouwen in de kracht van een kogel. Charles wist echter uit ervaring dat het niet zo gemakkelijk was een wild dier met één schot te vellen. Hij wist ook hoe gevaarlijk gewonde dieren konden zijn.

Zijn waarschuwing kwam te laat. De wolf was wel half verdoofd door de schok van de kogel en de pijn, maar toen hij een vijand hoorde naderen, gaf zijn overlevingsinstinct hem nieuwe kracht.

Met blikkerende tanden sprong hij naar Bever. Hij mikte naar de keel van zijn belager. De Mikmaq probeerde hem in een reflexbeweging af te weren.

De wolf miste de keel, maar beet zich vast in Bevers rechterarm. De jongen droeg een hemd van zacht hertsleer onder een jas van stevige elandenhuid met daarover nog een mantel van hetzelfde materiaal. Zelfs scherpe wolventanden raakten daar niet doorheen, maar het ondier slaagde er wel in zijn prooi tegen de grond te smijten.

Even hoopte Bever nog zijn arm uit de muil te kunnen wrikken. De kracht van de wolvenkaken was echter te groot. Het dier beet, sleurde en slingerde zo hard dat de jongen bang was dat het zijn arm uit zijn schouder zou rukken.

Ti'bert reageerde het snelst. Hij vergat hoe nerveus en bang hij was. Vastberaden ramde hij zijn mes in het spartelende lijf van het roofdier. Het lemmet schampte af op een rib. De wolf loste Bever niet. Ti'bert stak opnieuw toe. Hij hakte er als gek op los, overal waar hij het dier maar kon raken.

En toen was het voorbij. De wolf was dood, met zijn muil verstard rond Bevers arm. Charles moest zijn kaken met beide handen openwringen om de jongen te bevrijden. Bever zat als bevroren naast het kadaver, verlamd door de pijn in zijn schouder. Zijn arm hing lam en slap naast zijn lichaam. Hij kreunde zacht.

Angeline hielp hem overeind.

'Je bent dapper geweest', fluisterde ze.

Bever jammerde luid, nu eindelijk tot hem doordrong hoe gevaarlijk dicht bij de dood hij was geweest.

'Dapper en dom, zoals de meeste mannen', zei de vrouw knarsetandend. 'Die wolf had je aan stukken kunnen rijten!'

Ze nam Bever mee naar het vuur en trok zijn mantel uit. De jongen brulde het uit van de pijn.

'Bijt op je tanden, knul', gromde Angeline.

Zonder verder omhaal trok ze Bevers jas en hemd uit. Vuurrode vlekken toonden waar de wolventanden zich als een bankschroef om zijn arm hadden gesloten. Ter hoogte van zijn schouder stak een grote knobbel uit. De jongen schreeuwde het uit toen Angeline eraan voelde.

'Dat monster heeft je arm uit de schouderkom gerukt', zei ze. 'Ik zal het zaakje terug op zijn plaats zetten en dan ben je weer zogoed als nieuw.'

Ti'bert, Charles en Ernest hielden de patiënt stevig vast. Angeline propte een houtje tussen zijn tanden.

'Bijt hierop', beval ze. 'En zet je schrap, want ik ga je ontzettend veel pijn doen.'

Bever knikte en kreunde. Hij beet zo hard op het stokje dat zijn helpers het hoorden kraken. Ondanks de koude parelde er zweet op zijn voorhoofd. Angeline wrong met een snelle, krachtige beweging de arm weer op zijn plaats. Bever schreeuwde het uit en viel in zwijm.

Angeline betastte de schouder. Ze liet Bevers arm op en neer bewegen. Het scheen moeiteloos te gebeuren.

'Genezen', mompelde ze. 'Over een week voelt hij er niets meer van.'

Bever kreeg een dag om uit te rusten. De anderen gebruikten die tijd om de eland en de wolf uit te benen en het vlees te laten bevriezen. De vracht nam bijna een volledige slede in beslag, maar dat vond niemand erg. Liever een paar dagen ploeteren om kostbare mondvoorraad de berg op te sleuren, dan honger te lijden.

Oom Charles stroopte zorgvuldig de huid van de wolvensche-
del af. Met een pees uit een poot van het roofdier naaide hij er de
staart van de wolf aan vast.

'Dat is voor jou', zei hij tegen Bever. 'Een muts die helemaal past
bij een jager die op één dag een eland neerlegde en een wolf in de
bek keek.'

De jonge Mikmaq grijnsde trots.

ONDER EEN HOGE BOOM

Op de top van de heuvel zagen ze dat het land naar het oosten toe vlakker werd. Ergens aan het eind van het zacht rollende landschap, bedekt met besneeuwde wouden, moest de oceaan liggen.

Minder hoopgevend waren de zwarte wolken die als in de hemel drijvende bergen over de horizon rolden. Het waren de voorboden van een zware sneeuwstorm. Charles en Ernest zetten iedereen tot spoed aan om de voet van de berg te bereiken voor de blizzard hen weer gevangenzette.

Met pijn in het hart renden ze wildsporen voorbij. Eén keer zagen ze een eland wegvluchten tussen de bomen. Ernest schoot ernaar, maar het dier was al te ver en de kogel vloog verloren.

'Daar gaat het vlees om de storm mee uit te zitten', mopperde hij teleurgesteld.

Er leek geen einde te komen aan de afdaling. Terwijl het snel donker werd, zigzagden ze tussen bomen en rotsen. Ondanks zijn pijnlijke schouder rende Bever voorop om een geschikte kampplaats te zoeken.

'Hier!' schreeuwde hij plots.

'Waarom hier?' vroeg Charles.

De jongen wees naar dingen die hem opgevallen waren, maar waar zijn Franse vrienden blijkbaar geen oog voor hadden.

'De noordenwind heeft de sneeuw tegen die rots opgehoopt. De hoop is groot genoeg om er een hol voor ons allemaal in te graven. En daar ligt een dode boom. Hout om dagenlang mee te stoken. En daar...'

Hij keek Charles aan met een triomfantelijke grijns.

'Daar is een bevroren bron.'

De Fransman keek hem ongelovig aan.

'Waar zie jij een bron?' vroeg hij.

'Aan de voet van die spar blinkt ijs tussen de sneeuw', antwoordde Bever.

Om zijn gelijk te bewijzen, veegde hij met zijn goede arm een pak sneeuw opzij. Er kwam inderdaad ijs tevoorschijn.

'Is het verstandig te schuilen op een plek waar de wind de sneeuw op een hoop blaast?' vroeg Ernest. 'Zal de nieuwe sneeuw ons niet bedelven?'

'Neen', antwoordde Bever. 'Deze storm komt vanuit een andere richting. Niet pal uit het noorden, maar van de zee, uit het noordoosten. Het rotsblok zal ons beschermen.'

'Je bent een verdraaid slim kereltje', besloot oom Ernest.

'Genoeg gepraat. Aan het werk', beval Charles.

Niemand hoefde de taken te verdelen. De mannen en vrouwen groeven een hol in de sneeuw. Ti'bert hakte dennetjes om voor het dak. Bever hielp hem, ook al kon hij alleen zijn 'goede' arm gebruiken. De kinderen verzamelden dennentakken om het dak en de vloer te bedekken. Zelfs de kleinsten hielpen mee door brandhout van de dode boom af te breken.

De wind werd steeds nijdiger. In de verte rommelde donder. Bijna onafgebroken verlichtten bliksemflitsen de hemel. Het spookachtige licht drong zelfs tot onder de dicht bij elkaar staande sparren door.

Met vereende krachten moesten ze het tentzeil in bedwang houden, tot Charles en Ernest het met dennentakken en een laag sneeuw hadden vastgelegd.

De moeders kropen alvast met hun kinderen in de sneeuwhut terwijl Charles, Ernest, Ti'bert en Bever nog worstelden met het zeil dat de ingang zou afsluiten. De wind dreigde het doek telkens weer uit hun handen te sleuren. De mannen leunden er met hun volle gewicht tegen om het op zijn plaats te houden terwijl de jongens het vastsjorden.

Uitgeput lieten ze zich in het hol vallen. De kleine ruimte was barstenvol met mensen en sleden en bagage en bundels takken om de vloer en de wanden te bedekken en het brandhout dat de kleintjes hadden meegebracht.

De bliksemflits was zo helder dat hij zelfs door de gesloten deur heen zichtbaar was. Tegelijkertijd deed een oorverdovende klap het woud tot in zijn wortels trillen. De slag was zo luid dat iedereen even verdoofd raakte en het gekraak van de getroffen boom niet hoorde. Zwavelstank drong de hut binnen.

Seconden later verpletterde een enorme boomstam de sneeuwhut.

De bliksem had de eeuwenoude spar bij de bron getroffen. Hij had de kruin verkruimeld, was langs de schors naar beneden geschoten en had de stam vlak boven de grond doormidden gespleten.

Niets had de woudreus in zijn val gestuit en zo was hij met volle geweld op de sneeuwhut terechtgekomen.

Door de luchtverplaatsing werden Ti'bert en Bever als kanonskogels met deur en al naar buiten geperst. Meters verder landden ze in de sneeuw. Alle lucht was uit hun longen gedrukt.

De boom lag dwars over de schuilplaats heen. De machtige stam, tweemaal zo dik als een volwassen man, had het dakgeraamte naar beneden gedrukt. Armdikke, gebroken takken van de kruin hadden zich tot in de bodem geboord.

De bakken sneeuw die de stormwind tegen hen aan jaagde, bracht de jongens weer bij zinnen. Op handen en voeten kropen ze naar de plek waar hun familieleden en vrienden begraven lagen. In het licht van de elkaar snel opvolgende bliksemschichten zagen ze welke verwoesting de boom had aangericht. Het leek hun onmogelijk dat iemand de ramp overleefd had.

Bij de ingang troffen ze al meteen de levenloze lichamen van Charles en Ernest aan. Takken van de kruin hadden hen verpletterd.

'Mama!' schreeuwde Ti'bert terwijl hij met blote handen in sneeuw en puin krabde.

'Hier!' riep Bever.

Een kinderarm. De jongens trokken eraan. Even later kwam Ti'berts zus Marie-Ange tevoorschijn. Doodsbleek, verdwaasd, wanhopig naar adem happend. De jongens klauwden verder in de sneeuw. Ze vonden nog een kind. Het ademde niet meer. Dood!

Een stem riep om hulp. Het geluid kwam vanachter de boom, waar de achterkant van de schuilplaats was geweest. Een spookachtige vorm kroop uit de sneeuw naar boven. Marie-Liberte, een van Ti'berts tantes. Ze hield een peuter in haar armen.

'Help!' riep ze. 'Is er iemand? Help?'

'Tante Li!' schreeuwde Ti'bert.

'Help me graven', smeekte ze.

Uiteindelijk overleefden tien mensen min of meer ongeschonden de ramp: Ti'bert, Bever, Marie-Ange, tante Marie-Liberte en haar drie kinderen waren zogoed als ongedeerd. Drie andere kinderen die helemaal achteraan in het hol hadden gezeten, waren gewond. In de chaos was het niet mogelijk uit te maken hoe erg ze eraan toe waren.

Ti'bert wrong zich tussen gebroken takken door tot in het midden van het hol. In het licht van de zoveelste bliksemflits herkende hij het levenloze lichaam van zijn moeder. Ze hield zijn broertje en jongere zus in haar armen. Ze waren allen verpletterd door de stam. Hij zwoegde tot hij erbij neerviel om hen vrij te maken. Vruchteloze moeite. De vernielde schuilplaats zou hun graf zijn.

Uitgeput ging hij liggen. Hij sloot zijn ogen. Ik wil slapen, dacht hij. Slapen om nooit meer wakker te worden. Engelsen hadden zijn vader vermoord. De bliksem had zijn moeder gedood. En zijn broertje. Zijn zusje. Oom Charles. Oom... Iedereen was dood. Waarom zou ook hij niet voor eeuwig inslapen terwijl de blizzard hem snel en pijnloos met een witte lijkwade toedekte?

Bever werkte als in een trance. Hij zag geen halve meter voor ogen, maar toch zwoegde hij driftig voort. Hij kroop rond op handen en voeten en graaide naar alles wat hij nodig had om zijn eigen leven en dat van de anderen te redden. Flarden zeil. Stokken. Eindjes touw.

De pijn in zijn schouder vergat hij. Dat was een zorg voor later. Eerst moest hij een onderkomen bouwen. Een hol, een primitieve tent, om het even. De moordende boomstam bood hem alvast een stevige wand. De sneeuw die ertegenaan waaide, schonk hem veilige muren.

Marie-Liberte en de kinderen klitten als een hoopje ellende bij elkaar. De vrouw had de drie gewonde kindjes onder haar mantel geborgen om hen warm te houden. Marie-Ange en de andere kinderen kropen dicht tegen haar aan. Roerloze sneeuwpoppen, blootgesteld aan de ijzige stormwind.

'Hierheen', beval Bever.

Niemand reageerde. De jonge Mikmaq gaf Marie-Liberte een klap in het gezicht en wees naar de schuilplaats.

'Daar!' schreeuwde hij.

De vrouw staarde hem verdwaasd aan. Hij gaf haar nog een klap. Eindelijk kwam ze tot leven. Hij leidde haar en de kinderen naar de kleine tent. Daarna haastte hij zich terug naar het vernielde hol. Het duurde een hele tijd voor hij Ti'bert vond.

'Wakker worden!' schreeuwde hij, maar zijn vriend hoorde het niet.

Bever kneep hem in zijn wang. Hard. Pijnlijk. Ti'bert kreunde.

'Wakker worden! Meekomen!'

'Neen.'

'Ik snijd je de strot door als je niet meekomt!'

Bever kroop achterwaarts uit het hol. Met zijn laatste krachten trok hij zijn vriend van onder het puin.

'Waar ben ik?' vroeg Ti'bert.

Bever duwde hem zonder commentaar in de schuilplaats. De lichamen van Marie-Liberte en de kinderen hadden de kleine ruimte al opgewarmd.

Bever kroop dicht tegen Ti'bert aan. Ze waren allebei zo uitgeput dat ze meteen in slaap vielen. Het laatste wat de jonge indiaan dacht, was: ik wil niet sterven.

Dat was zijn nooit hardop uitgesproken voornemen, dat hem overeind had gehouden sinds de Irokezen zijn stam overvallen hadden.

DOORGAAN OF DOODGAAN?

Marie-Liberte, die iedereen liefdevol tante Li noemde, probeerde op de tast uit te maken hoe erg de gewonde kinderen eraan toe waren. Meer kon ze in de donkere, benepen ruimte niet voor hen doen. Ze voelde een gebroken armpje. Een verwrongen enkel. Een verpletterd handje. Schaafwonden. Bloed. De kinderen waren te uitgeput om op haar aanrakingen te reageren.

'Waar heb je pijn, schatje?' fluisterde tante Li tegen een klein meisje.

'Mijn arm, tante Li... Mijn arm doet pijn...'

'Straks, als het licht is, zal ik je verzorgen. Ja?'

'Mijn arm doet pijn, tante Li...'

Marie-Liberte drukte haar een lange, warme zoen op het voorhoofd. Een kusje en sussende woordjes, dat waren de enige medicijnen die ze nog overhad.

Een na een zonken de kinderen weg in een diepe slaap. Het maakte Marie-Libertes angst nog groter. Sliepen ze? Of waren ze dood? Nerveus voelde ze of hun hartjes nog klopten. Ze hield haar hand voor hun neusgaten om hun adem te voelen.

Ze sloot haar ogen en vocht tegen de angst die haar dreigde te verlammen. In haar hoofd weerklonk steeds opnieuw het bloedstollende geraas van de vallende boom. Het laatste geluid dat ze gehoord had vlak voor de mensen rondom haar verpletterd waren.

Ze moest vechten om nog adem te kunnen halen. Met horten en stoten zoog ze lucht in haar longen.

Waarom ben ik gespaard en de anderen niet? vroeg ze zich af. Ze vond geen antwoord. Straks moet ik de kleintjes zeggen dat hun mama en papa dood zijn, dacht ze. De allerkleinsten zouden vragen wat 'dood zijn' betekende. Hoe moest ze hun dat uitleggen? Zou ze de juiste woorden vinden om de arme weesjes moed te geven de vreselijke tocht voort te zetten?

Tranen vulden haar ogen. Droombeelden doken op. Herinneringen aan het gelukkige leven dat ze nog maar zo kort geleden vaarwel had moeten zeggen. Beelden van de welvarende hoeve aan de baai. De mooie toekomstplannen voor haar kinderen, haar man, zichzelf. Het leek allemaal een eeuwigheid geleden.

Ze viel in een ravijn vol wanhoop. Wat voor zin had de reis nog? Was het niet beter dat ze de strijd opgaf en zich liet doodgaan van honger en koude in het kille graf waarin ze toch al lag?

Toen voelde ze de kinderen die zich tegen haar lichaam aandrukten. Trage, lome slaapbewegingen van hun armen en benen en hoofdjes. Ze hoorde de lucht door hun neusgaten stromen. Ze hoorde leven.

Als in een droom dook een lichtpuntje op. Wat een geluk dat de jongens de ramp overleefd hadden! Bever en Ti'bert hadden bewezen dat ze zich als mannen konden weren. Ze zouden haar niet in de steek laten. Ze zouden haar en de kinderen redden. Ineens speelde er een glimlach om haar mond. Onbewust. Ongecontroleerd. Maar echt.

Tante Li glimlachte, omdat ze in elke vezel van haar lichaam voelde dat Bever en Ti'bert er wel voor zouden zorgen dat ze met zijn allen deze nachtmerrie overleefden.

Ti'bert schrok wakker omdat er een pijnscheut door zijn lichaam sneed. Het voelde aan alsof een houten paal in zijn borstkas geramd werd. Hij schreeuwde het uit en zijn kreet maakte de kinderen wakker. Ze gilden van de schrik, bang dat een nieuw ongeluk hen had getroffen. Alleen Bever reageerde niet. Hij was uitgeteld na al het werk dat hij verzet had.

'Waar zijn we?' vroeg Ti'bert.

'Bever heeft voor ons een hol in de sneeuw gegraven', antwoordde tante Li.

'Waar is Bever?' gilde Ti'bert in paniek.

'Hij ligt naast je', zei Li.

Ti'bert tastte naar de ruwe dierenhuid van Bevers mantel.

'Hij slaapt', zei hij gerustgesteld.

'Hij heeft ons leven gered', antwoordde tante. 'Zonder hem had de blizzard ons allemaal gedood.'

Het duurde een hele tijd voor haar woorden tot Ti'bert doordrongen. Hij herinnerde zich niet hoe hij in het noodhol was beland. Het enige wat hij nog wist, was dat hij naast zijn moeder in slaap gevallen was. Vlak bij haar verminkte, bebloede gezicht, een door bliksemflitsen verlicht geestenmasker. Hij was gaan slapen om nooit meer wakker te worden, herinnerde hij zich ook nog, maar nu was hij wakker en hij had de blizzard overleefd. Hij had álles overleefd.

Marie-Ange fluisterde in zijn oor.

'Waar is onze mama?' vroeg ze.

Ti'bert kreeg het antwoord niet over zijn lippen.

'Je mama en de kleintjes zijn dood', antwoordde tante Li in zijn plaats.

Het bleef even stil en toen mompelde het meisje: 'Dan is iedereen dood, behalve Ti'bert en ik.'

'Ik zal voor je zorgen, schatje', zei tante zacht. 'Ti'bert en ik zullen je nooit in de steek laten.'

Het kind antwoordde niet.

'Ik heb de tas met medicijnen nodig', zei Li. 'Ik moet de kindjes verzorgen.'

Een orkaan van kinderstemmetjes brak los. Ze schreeuwden weer allemaal door elkaar heen.

'Mijn voet doet pijn!'

'Mama, ik heb dorst.'

'Wanneer komt papa, tante Li?'

'Waar is mama, Ti'bert?'

'Tante Li? Waar ben je?'

'Mama, ik moet plassen.'

'Ik heb honger!'

Ti'bert wrong zich over de slapende Bever heen naar de uitgang. Het zeil was loodzwaar en toen hij het wegduwde, schoof een plak sneeuw naar binnen.

Het was dag. De wind was gaan liggen, maar de sneeuw viel nog altijd met dikke vlokken. Ti'bert keek tegen een ondoordringbare witte muur aan. Ergens voor hem moest de vernielde schuilplaats liggen, maar hij kon niet zien waar.

Li hielp Marie-Ange en de kinderen naar buiten. Ze aten sneeuw om hun dorst te lessen. Tante liet de kleintjes hun behoefte doen en daarna inspecteerde ze een voor een de gewonden. Koelbloedig maakte ze een lijstje van wat ze nodig had om hen te helpen. Spalken voor gebroken ledematen. Verband. Zalfjes.

'Kun je hen genezen?' vroeg Marie-Ange.

'Jij en ik gaan hen opknappen', zei Li en ze dwong zichzelf haar stem zo vastberaden te laten klinken als maar mogelijk was. 'Samen kunnen we alles. Is het niet, Ti'bert?'

Ze keek haar neef aan met ogen als gloeiende kolen. Hij schrok van haar uitdrukking. Haar gezicht stond zo hard als graniet. Was dat zijn oude, zachte, lieve tante Li?

'Samen kunnen we alles', mompelde hij.

'Blijf bij de kinderen', beval tante. 'Ik ga zelf de medicijnentas zoeken. En eten zal ik ook meebrengen.'

Met haar handen op de moordende boomstam om niet in de witte sneeuwwolk te verdwalen, verdween ze uit zijn gezichtsveld. Ti'bert voelde paniek opkomen. Wat als ook zij stierf? Wat als ze niet terugkwam? Wat als...

Om de angstige gedachten te verdrijven, ging hij weer aan het werk. Hij hielp zijn zus de gewonden terug in het sneeuwhol te leggen. Bever gromde en knorde terwijl ze over hem heen kropen, maar wakker werd hij niet.

'Hé! Luilak! Opstaan!' schreeuwde Ti'bert in zijn oor.

Bever mompelde iets onverstaanbaars en deed een oog open. Ineens vloog hij als in doodsangst overeind.

'Pas op voor de boom!' gilde hij in paniek.

'Je hebt geslapen als een os', stelde Ti'bert hem gerust.

'Waar... Waar is iedereen? Waar is Marie-Liberte naartoe?' vroeg Bever.

'Ze is naar de oude schuilplaats gegaan. Medicijnen zoeken. Eten. Spullen'

Bever liet zich neervallen.

'Het is mijn schuld', jammerde hij.

'Doe niet gek. Je kon niet weten dat de bliksem op die boom zou inslaan. Niemand kon dat voorzien.'

'Jawel. Ik had het móéten voorzien. Hij stond met zijn wortels in een bron. Water trekt de bliksem aan! Ik had het moeten weten dat die plek niet veilig was. Het is mijn schuld dat iedereen dood is.'

Er blonken tranen in zijn ogen.

'Als je blijft jammeren, geef ik je een dreun voor je domme kop', dreigde Ti'bert.

Bever rilde als een koortspatiënt. Ti'bert nam zijn hand in de zijne. Lange tijd zaten de vrienden in stilte naar buiten te staren, tot tante Li vanuit het witte niets opdook. Bij elke stap zakte ze tot aan haar middel in de sneeuw. Ze had pakken op haar rug gebonden.

'Dat is alles wat ik kon dragen', zei ze terwijl de jongens haar van haar last verlosten. 'Er ligt nog meer. Ga het halen. Je mag niet bang zijn van de doden.'

Ti'bert en Bever redden wat ze konden uit het puin. De mensen die ze konden verplaatsen, legden ze dicht bij de slachtoffers die onder de stam en de kruin geklemd zaten. Ze stapelden pakken sneeuw op de lichamen en stampten die zo hard aan als ze maar konden om de lijken tegen roofdieren te beschermen.

'Wanneer het dooit, keren we terug om hen als christenmensen te begraven', stelde Ti'bert voor.

Bever knikte zwijgend. Hij durfde zijn vriend niet te zeggen dat wilde dieren hen ondanks alle voorzorgen voor zouden zijn. Hij durfde hem vooral niet te vertellen dat de kust te ver weg was om nogmaals de lange reis te ondernemen, alleen maar om aarde over afgekloven skeletten te schudden. Hij was bang dat een blanke jongen nooit zou begrijpen dat het normaal was de lichamen van overleden geliefden toe te vertrouwen aan de wezens uit het bos.

Zij aan zij zwoegden de jongens om voedsel, kleren en gereedschap op te delven en naar hun nieuwe schuilplaats te brengen. Alles wat ze vonden, leek van levensbelang, maar niets was zo belangrijk als de tondeldoos die Bever bij het lichaam van oom Charles vond. Eindelijk konden ze vuur maken.

Tegen de avond laaiden de vlammen hoog op bij de schuilplaats. Het kampvuur gaf hun licht, warmte en een gevoel van veiligheid. Ze lieten sneeuw smelten in een gedeukt pannetje en dronken gulzig van het lauwe water. Tante Li prikte stukjes bevroren vlees aan stokjes en toen het gebraden was, zei Ti'bert dat het het lekkerste voedsel was dat hij in zijn leven geproefd had.

Tante glimlachte, maar intussen probeerde ze uit te rekenen voor hoeveel dagen er nog vlees was. Genoeg om hen te voeden tot ze de kust bereikten? De kust... Meer dan ooit klonk dat woord als de naam van het beloofde land, waar ze zich maar hoefden te bukken om een heerlijk maaltje op te rapen. In haar dagdroom rook ze reeds de lekkere, sterke soep die ze van zeewier en mosselen zou koken. Maar toen landde ze weer met beide voeten op de grond en vroeg ze zich af hoelang ze nog moesten afzien voor ze het doel van hun reis bereikten.

Bever zat nors in de vlammen te staren. Met zijn zware mantel over zijn hoofd zag hij eruit als een kleine wigwam die langzaam onder de sneeuw bedolven raakte.

Hij maakte zichzelf nog altijd verwijten omdat hij zijn Franse vrienden op zo een gevaarlijke plek halt had laten houden. Alles wat hij fout had gedaan, zette hij steeds weer op een rij. Hij had het kamp te hoog op de berg laten opslaan, omringd door bomen die van de vochtige bodem tot bijna in de wolken reikten. Hij had in zijn haast geen aandacht besteed aan de bliksemschichten die uit de sneeuwwolken schoten, op zoek naar het water in de grond. Hij was vergeten dat de bliksem hemelwater en grondwater met elkaar verbond. Hij had geen rekening gehouden met het hemelvuur dat alles vernietigde wat het op zijn weg ontmoette. Hij had het moeten weten. Zingende Kraai had het hem geleerd. Waarom was hij die les vergeten? Waarom had hij zo een domme fout gemaakt?

Ti'bert zat aan de andere kant van het vuur. Nog een menselijke wigwam in de sneeuw, de voorkant van de mantel open als een tentflap om de warmte van de vlammen binnen te laten. De Franse jongen glimlachte bemoedigend naar zijn indiaanse vriend.

'Gaat het?' vroeg Ti'bert.

'Tante Li heeft de kinderen goed verzorgd', zei Bever.

Hij moest aan iets anders denken dan aan zijn schuld. Hij moest zijn fout goedmaken, ook al zou hij nooit helemaal kunnen herstellen wat hij kapot had gemaakt.

Meer dan ooit moest hij een middel vinden om zijn blanke metgezellen te redden. En zichzelf ook, want straks, wanneer ze uit het oerwoud ontsnapt waren en onderdak hadden gevonden bij andere Mikmaq, moest hij aan de slag om zijn familie uit de handen van de Irokezen te bevrijden.

Waar ze zich ook bevonden, hij zou hen vinden en hij zou hen redden.

'We zullen een slede maken om de kleintjes te vervoeren', stelde Ti'bert voor.

'Zodra het niet meer sneeuwt, trekken we verder naar de oceaan', antwoordde Bever. 'Voor de volgende blizzard toeslaat, zullen we bij onze mensen zijn.'

'Hoelang moeten we nog reizen?' vroeg Marie-Ange.

'Niet zo lang meer, kleine zus', antwoordde Bever.

Ze bedankte hem met een glimlach voor dat warme woordje.

Hij had haar 'zus' genoemd.

Ze voelde zich ineens minder alleen, met niet één maar met twee grote broers.

VOETSPOREN UIT HET BOS

Bever verblufte iedereen nog maar eens met zijn handigheid.

Van dennentakken en reepjes elandenhuid knutselde hij sneeuwschoenen.

Van versplinterde takken, gladde boomschors en een elandenhuid maakte hij een slede die plaats bood aan de drie gewonde kinderen.

De bagage verdeelde hij in pakken die gemakkelijk op de rug te dragen waren. Grote bundels voor tante Li, Marie-Ange, Ti'bert en hemzelf, kleine voor de kinderen.

Ook toen het ophield met sneeuwen, bleef de hemel donker en zwaar als lood. De zon, die de weg naar het oosten had kunnen aanwijzen, liet zich niet zien. Bever vond dat echter geen probleem.

'We volgen het eerste bergbeekje dat we tegenkomen', zei hij. 'Het zal ons zeker naar de oceaan brengen.'

Het klonk zo naïef dat Ti'bert en tante Li elkaar met opgetrokken wenkbrauwen aankeken, maar ze spraken de indiaan niet tegen.

Al na enkele uren moesten ze toegeven dat Bever juist gegokt had. Een in de rotsbodem gekerfde bedding van een beek dook bijna kaarsrecht naar de vallei. Waar hij in een grotere rivier uitmondde, hoorden ze onder een forse ijslaag water stromen. Het liep weg van de bergen, naar de oceaan toe.

Er doken nog meer tekens op dat ze zich op de goede weg bevonden. Dennen maakten plaats voor loofbomen en struikgewas. Grote sneeuwvlakten waaronder weiden schuilgingen, braken het bos open.

'Nu kan het niet ver meer zijn', hoopte Bever. 'Hoogstens nog een paar dagen...'

Het vooruitzicht dat de helletocht binnenkort voorbij zou zijn, schonk iedereen nieuwe kracht. De gewonde kleintjes zaten urenlang rechtop op de slede om beter voor zich uit te kunnen kijken. De andere kinderen waren zo opgewonden dat ze regelmatig een heel eind voor de groep uit holden. Toen Bever hen bij valavond terugriep om een kamp voor de nacht op te slaan, mopperden ze ontgoocheld. Waarom nog halt houden nu ze zo dicht bij het einddoel waren?

Bever spande het tentzeil tussen twee dikke keien. De nauwe spleet leek daardoor een heuse grot, bestand tegen alle natuurkrachten. Een hoog oplaaiend vuur voor de ingang verspreidde niet alleen warmte en licht, maar gaf iedereen ook een veilig gevoel. Dankzij het brullende vuur hoefden ze niet te vrezen voor hongerige roofdieren, waarvan ze her en der sporen hadden gezien.

Alleen de schrale maaltijd was een tegenvaller. Het enige dat tante Li hun nog kon voorzetten was een flets afkooksel van elandenhuid, brokjes wolvenvlees en twee miezerig taaie reepjes elandenspek. Als ze niet snel de kust bereikten en daar voedsel vonden, zouden ze de volgende dagen moeten leven van een aftreksel van dennennaalden en bevroren mos.

'Ik wed dat er vis in de rivier zit', zei Bever opgewekt.

Met een uitdagende grijns haalde hij een touwtje en een haakje uit zijn zak.

'Nu nog een lekker stukje aas en straks hebben we zoveel verse vis dat we dik en rond de zee zullen bereiken', grinnikte hij terwijl hij een pluk haar uit zijn bontmantel trok.

'Noem je dat aas?' vroeg Marie-Ange.

'Voor een domme, hongerige vis is alles aas, kleine zus.'

Met een puntige stok hakte hij een gat in het ijs. Het was een duivels karwei, want het ijs was hard en dik en de stok brak voortdurend af. Hij kreeg het zo warm dat er een stoomwolk rond zijn hoofd dreef.

Eindelijk was de opening groot genoeg om de lijn in het water te laten zakken. Tevreden stelde hij vast dat de stroming met haak en aas speelde. Net wat nodig was om de aandacht van vissen te trekken. Nu moest hij alleen nog geluk hebben, dacht hij. En geduld tot een domme, hongerige vis zich door de haarpluk liet verschalken.

Hij zat op zijn hurken met zijn rug naar de kille westenwind gekeerd. Droge wind die van over de bergen kwam. De toppen waarachter hij zijn hele leven had doorgebracht. Wind van thuis.

Hij verdreef de sombere gedachten. Sinds hij voor de Irokezen gevlucht was, was dat een reflex geworden. Niet piekeren over gisteren, maar denken aan hier en nu. En een beetje aan de toekomst. Zo hadden de ouderen het hem geleerd. Het was de enige manier om in de harde natuur te overleven.

Boven zijn hoofd ritste de wind de wolken open, net genoeg om een streepje van de sterrenhemel bloot te maken en de sneeuwvlakte te verlichten. Toen sloot hij de opening weer om meteen daarna elders een opening te maken. Bever snakte naar een heldere hemel vol sterren en zonder de dreiging van sneeuw of onweer.

Hij luisterde naar het murmelende water onder zijn voeten. Als hij zijn adem inhield, hoorde hij zelfs keitjes over de bodem schuren. De rivier stond zogoed als droog, veronderstelde hij. Waar zou het water ook vandaan blijven komen, wanneer boven alles bevroren was? De stroom zou pas weer aanzwellen in de lente, wanneer de wereld ontdooide. Wanneer zou dat zijn?

Hij voelde dat het touw strak ging staan. Had een vis aangebeten? Hij hield zijn adem in. Weer een rukje. Hij ademde langzaam uit en wachtte. De prooi moest de tijd krijgen om zich stevig in de haak vast te bijten.

De lijn verslapte en hij haalde ze op. Het plukje bont hing nog aan de haak. De vis had er maar mee gespeeld. Dom, maar niet hongerig genoeg? Hij liet de lijn weer zakken.

Ruk!

De domme vis had aangebeten. Hij vocht uit alle macht om zich te bevrijden en daardoor dreef hij de haak nog dieper in zijn bek.

Bever probeerde de lijn een eindje in te halen. De vis zette zich schrap. Hij was zo sterk dat de jongen hem geen centimeter vooruit kreeg. Het moest een kanjer zijn, dacht hij. De Fransen zouden onder de indruk zijn. Met niet meer dan een touwtje en een pluk oud elandenbont een reuzenvis vangen! Wie deed het hem na?

Steeds opnieuw testte hij de krachten van zijn prooi. Ooit moest de vis moe worden en dan zou hij hem in één vloeiende beweging naar zich toe halen, door het gat trekken en op het ijs laten spartelen tot hij dood was.

Hij vergat de tijd. Hij voelde niet dat de wind krachtiger werd en dat de koude steeds wreder begon te bijten. Hij vergat alles en dacht alleen nog aan de vis.

Nu! Hij trok aan de lijn. De vis spartelde nog nauwelijks tegen. Nu! Water borrelde uit het gat in het ijs, meteen gevolgd door de vissenkop.

'Beet! Ik heb beet!' schreeuwde Bever naar het kampvuur, waarvan de vlammen nog altijd hoog oplaaiden.

Hij kreeg geen antwoord. Natuurlijk niet. Het lawaai van de sissende, knetterende stammetjes overstemde alle andere geluiden.

Hij prikte een vers plukje aan de haak, bond het uiteinde van de lijn aan een stok die hij dwars over het gat legde en liet de haak weer zakken. Zo snel als zijn benen hem konden dragen, rende hij naar het kamp. Vanavond nog zouden ze zich aan vis te goed doen. Heerlijke, vette, knapperig gebraden vis!

'Vandaag eten we de helft, de rest bewaar ik voor morgen', besloot tante Li. 'Je hebt al soep gegeten.'

'Misschien vang ik nog een kanjer', zei Bever.

'Wie misschien eet, krijgt zijn buik nooit vol', antwoordde de vrouw.

Zelfs voor wie geen sporen kon lezen, was het duidelijk. Twee mensen op sneeuwschoenen waren kort geleden uit het bos gekomen. Ze waren de vlakte overgestoken om daarna de loop van de rivier te volgen.

Bever gromde een woord dat Ti'bert hem nog nooit had horen gebruiken.

'Wat wil je daarmee zeggen?' vroeg de Fransman.

'Dit zijn sporen van vreemde mensen.'

Nu begreep Ti'bert wat zijn vriend bedoelde. Hij was bang dat de mensen die het spoor nagelaten hadden niet zomaar 'vreemden' waren, maar mogelijk geváárlijke vreemdelingen.

'Mikmaq maken hun sneeuwschoenen anders', fluisterde Bever zijn vriend in het oor opdat tante Li en de anderen niet zouden horen dat hij ongerust was. 'Dit spoor is getrokken door mensen van een ander volk. Misschien zijn het wel Engelsen. Of Fransen. Wat zoeken zij hier?'

'Fransen? Dat zou goed nieuws zijn', meende Ti'bert.

'O ja? Franse woudlopers hebben jouw familie verraden', gromde Bever.

Ti'bert zweeg. Waarom had hij niet aan die mogelijkheid gedacht? Waarom was Bever zoveel volwassener dan hij?

'Ik ga op verkenning' zei de indiaan hardop zodat iedereen het kon horen. 'Verstop je achter het rotsblok ginds en houd je koest tot ik terugkom.'

Vanachter de dikke steen hield Ti'bert zijn vriend nauwgezet in de gaten. Bever vermeed het open terrein, maar ploeterde door sneeuwhopen vlak langs de bosrand. Het ging moeilijk, maar hij kon er zich wel zogoed als onzichtbaar maken.

Bij de bocht in de rivier bleef hij lange tijd zitten om te bespieden wat voor hem lag. Van ver seinde hij dat de weg veilig was.

'Het zijn pelsjagers', meldde hij toen hij het groepje vervoegde. 'Ze hebben hun vallen in de bosrand leeggemaakt en nieuwe strikken gezet. Kijk maar.'

Hij wees naar een strop in een smalle doorgang tussen de struiken. Vlakbij kleurden resten van een bloedvlek de sneeuw bruin.

'Wij gebruiken zulke stroppen niet', zei hij. 'Dit is het werk van indianen van een ander volk. Misschien. Of van indringers... Vreemde woudlopers, misschien.'

'De Fransen die ons verraden hebben, waren geen pelsjagers', protesteerde Ti'bert.

'Misschien zijn ze van beroep veranderd bij gebrek aan slachtoffers om aan de vijand te verkopen', antwoordde Bever bitter.

Extra voorzichtig zetten ze de weg voort. Het dal was zo breed dat ze zelfs in de beginnende avondschemering de overkant nog nauwelijks konden onderscheiden. Bever stelde voor in het bos te kamperen, een eind van de rivier verwijderd.

Hij spande het tentzeil tussen twee bomen. Het hield de wind tegen, maar belette ook dat wie langs de rivier liep hen kon zien. In plaats van een groot vuur, installeerde hij een drietal kleine vuurtjes met droog hout dat nauwelijks rook gaf. De wind blies alle verraderlijke geuren het bos in.

Tante Li zorgde zoals elke avond eerst voor de gewonde kleintjes. Ze hadden de hele dag stevig ingepakt op de slede gelegen of gezeten, maar toen ze hun kleren losmaakte, stelde ze toch vast dat de vrieskou hun handjes en voeten flink geprikt had. Hoe luid ze ook protesteerden, toch masseerde ze hun pijnlijke vingers en tenen met sneeuw om de bloedsomloop weer op gang te brengen.

'Als je niet oppast, vriezen de tenen nog van je voeten af', dreigde ze.

Daarna smeerde ze haar laatste likjes zalf op hun wonden om de pijn enigszins te verzachten. Ze wikkelde bij de vuurtjes opgewarmde doeken rond handen en voeten, die na het sneeuwbad pijnlijk tintelden. Tot slot hielp ze de kleintjes weer hun kousen, laarzen en handschoenen aan te trekken.

'Zo. Nu kunnen jullie er weer even tegen', zei ze.

Ze deed haar best om opgewekt te klinken, maar in stilte vroeg ze zich af: wat kan ik morgen nog voor hen doen?

Om haar eigen angst de baas te blijven, overstelpte ze de kinderen met bemoedigende woordjes. Nog even volhouden en alles zou goed komen, was de boodschap die ze voortdurend herhaalde.

Hun avondmaal bestond uit thee van dennennaalden en de halve vis die ze de vorige avond gespaard had. De extra buit waar Bever op gerekend had, was uitgebleven. De jongen had beteuterd moeten toegeven dat geen vis dom of hongerig genoeg was geweest om zich in de loop van de nacht te laten verleiden door een pluk elandenhaar.

NORSE JAGERS

De vrees dat ze op weg naar de kust in de armen van vijandige pelsjagers konden lopen, liet Ti'bert en Bever niet los.

Zodra tante Li en de kinderen sliepen, trokken ze op verkenning naar het oosten. De wind had grote gaten gehakt in het wolkendek, waardoor de sterren een vaal, spookachtig licht over de sneeuwvlakte wierpen.

Ze slopen diep voorovergebogen om zich zo klein mogelijk te maken. En ze volgden steevast de bosrand, zodat hun gestalten versmolten met het grauwe struikgewas: schimmen in de schaduw.

Hun kleren leken gemaakt om niet op te vallen. Ze droegen allebei dikke bontmantels van elandenhuid. Lekker warm met de pels aan de binnenkant, lichtgrijs aan de buitenkant, waardoor ze in het vale licht haast dezelfde kleur hadden als de sneeuw.

Praten deden ze niet. Alle geluiden die hen konden verraden, onderdrukten ze. Geen gekuch of gehoest, zelfs luidruchtig je neus ophalen was gevaarlijk. Als ze elkaar iets te zeggen hadden, gebruikten ze gebarentaal.

De pelsjagers hadden daarentegen geen moeite gedaan om zich te verstoppen. Hun kampplaats met metershoge vlammen viel al van ver op in de open vlakte. De wind dreef de geur van rook en geroosterd vlees als een vette mist naar de jongens toe. Bever gromde tevreden. De kans dat waakhonden in het kamp hen konden horen of ruiken, was daardoor zogoed als nul, dacht hij.

'Twee mannen', seinde hij met zijn vingers.

Ti'bert rekte zijn hals uit. Bij het vuur zaten inderdaad twee vormeloze gestalten. Ze waren van top tot teen in huiden verpakt. Omdat hij geen tent zag, vermoedde hij dat de mannen van plan waren in de openlucht te slapen. Warm ingeduffeld, opgerold bij het vuur en met een maag vol sappig, vet vlees hoefden ze de kou niet te vrezen.

Een hond blafte. Ti'berts adem stokte in zijn keel. Bever knorde nijdig. Het was toch niet mogelijk dat het dier hem geroken had?

Niet met de wind die helemaal tegenzat! Niet met de houtrook en de vleesreuk die zijn lichaamsgeur onderdrukten!

Een derde man dook op bij het kampvuur en liep meteen hun kant uit om te onderzoeken waarom de hond geblaft had.

De jongens drukten zich dieper in de sneeuw. De man kon hen niet zien, daar waren ze zeker van. Maar wat als hij de hond losliet? Konden ze hem om de tuin leiden?

De derde man riep naar zijn makkers bij het vuur. Bever herkende enkele woorden. Hij sprak een taal die op de zijne leek! Het waren Mikmaq! Waarom had hij hun sporen dan niet herkend? Waarom droegen die kerels totaal vreemde sneeuwschoenen?

Hij besloot dat het beter was de mannen voorlopig niet te vertrouwen en zich nog niet bloot te geven. Hij tilde zijn hoofd net genoeg op om over de sneeuw heen te kunnen kijken. De jager stond op een twintig passen van hem vandaan. Het leek een eeuwigheid te duren, maar toen draaide hij zich om en slenterde terug naar het kampvuur.

Bever haalde opgelucht adem, maar toen schoot een angstaanjagende gedachte door zijn hoofd. Waar was de hond? Zijn ogen vlogen naar links en rechts. Geen hond te bespeuren. Oef! Zijn opluchting was echter van korte duur, want als vanuit het niets dook een grauw, langharig monster op, meer wolf dan hond. Het dier rende met lange sprongen door de sneeuw, recht op hem en Ti'bert af.

Bliksemsnel stak hij zijn handen onder zijn borstkas en duwde hij zijn gezicht in de sneeuw. Zijn kap, bontmantel, leren broek en zware laarzen zouden een tijdlang bestand zijn tegen de scherpe tanden . Een tijdlang... Tot...

Hij voelde weer de pijn in zijn schouder, even fel en even verlammend als op het moment dat de wolf zijn tanden in zijn mouw had gezet. Hij kromp in elkaar in afwachting van de aanval, maar die kwam niet.

Voor de hond kon toebijten, schreeuwde zijn baas: 'Af!'

Het dier gehoorzaamde prompt, maar Bever speelde voor alle veiligheid toch dat hij dood was. Altijd de beste verdediging wanneer je geconfronteerd werd met een boze waakhond.

'Jij! Opstaan!' riep de man. 'En jij daar! Op!'

Bever keek van onder de rand van zijn kap in de bek van de hond, die hem grommend en met ontblote tanden in de gaten hield, zijn lichaam gespannen als een veer om bij het eerste bevel toe te happen.

'Op!' schreeuwde de man opnieuw.

Bever en Ti'bert kropen traag overeind. De pelsjagers die bij het vuur hadden gezeten, kwamen naar hun kompaan. Ze hadden speren en jachtbijlen meegenomen.

'Wie zijn jullie?' vroeg de hondenbaas.

'Mijn naam is Snel Zwemmende Bever van de stam van de Steur.'

'En hij?'

De man stelde de vraag aan Bever, want hij veronderstelde dat de blanke knaap zijn taal toch niet begreep.

'Ik ben Albert Druon', antwoordde Ti'bert.

'Wat zoeken jullie in Kouchibouguac?'

'Wat is Kouchibouguac?' vroeg Bever.

'Iedereen weet hoe we ons land noemen', gromde de man. 'Behalve brutale jongens die als dieven rond het kampvuur van eerlijke mensen sluipen.'

'Het spijt me', antwoordde Bever onderdanig. 'Ik ben geen dief en ik wil helemaal niet brutaal lijken. Ik wil aan jullie opperhoofd de toelating vragen om samen met mijn Franse familievrienden door zijn land te reizen. We zijn op weg naar *sagamo* Henri van de stam van de Beer. Hij is een vriend van de Fransen.'

'Je hebt gevaarlijke vrienden, Bever', zei een pelsjager. 'De Engelsen straffen elke indiaan die met de Fransen omgaat.'

'Dat is juist', antwoordde Bever. 'De Engelsen hebben Irokese krijgers mijn dorp in de as laten leggen. Ze hebben veel mensen gedood. Mijn grootvader hebben ze lafhartig vermoord. De overlevenden hebben ze als slaven meegevoerd. Ook mijn vader en mijn moeder zijn nu hun gevangenen. Onze Franse vrienden hebben ze als beesten de wildernis ingejaagd. Velen van hen zijn in het bos gestorven. Mannen, vrouwen en kleine kinderen.'

De woorden van Bever maakten weinig indruk.

'We weten ook dat de Irokezen bloeddorstige honden zijn', gromde de man met de hond. 'Dat hoef je ons niet te vertellen. Zeg ons liever waarom jullie de Fransen beschermden?'

'Omdat wij oprechte vrienden van de Mikmaq zijn', snauwde Ti'bert hem toe. 'We hebben altijd eerlijk met hen samengewerkt. Niet zoals de Engelsen, die wilde stammen ophitsen om ons te verdrijven van ons land.'

'Mm', deed de hondenman, duidelijk onder de indruk van de taalkennis van de blanke knaap.

'De Engelse dieven willen niet alleen het land van de Fransen stelen, maar ook dat van de Mikmaq', voegde Bever er vol overtuiging aan toe.

'Jullie zijn gladde praters', zei de jager die tot dan toe gezwegen had. 'Jongens die woorden van oude, wijze mannen gebruiken! Maar waarom zouden we je praatjes ook geloven? Wat moeten we denken van geniepige kereltjes die ons in het holst van de nacht besluipen als dieven of moordenaars?'

'Kijk!' riep Bever. 'Behalve onze jachtmessen bezitten we geen wapens. Hoe kunnen we drie sterke, volwassen jagers bedreigen? We hebben een lange reis achter de rug. We hebben veel gevaren getrotseerd. Daarom wilden we eerst voorzichtig poolshoogte nemen vooraleer jullie aan te spreken. We hebben honger en kou. Wat voor mensen zijn jullie dat je broeders in nood niet uitnodigt plaats te nemen bij je kampvuur?'

'Brutaal!' schreeuwde de hondenbaas.

'Waar is de rest van je groep?' snauwde de stille de jongens toe. 'Waar hebben je trawanten zich verstopt?'

Zijn vijandige toon deed Ti'bert verstijven, maar Bever liet zich niet uit het lood slaan.

'Ik heb geen trawanten', blafte hij terug. 'Van onze groep zijn alleen een vrouw en enkele kinderen overgebleven.'

En snel voegde hij er nog aan toe: 'Drie kleine kinderen zijn gewond geraakt toen de bliksem een boom velde.'

De stille man hakte de knoop door.

'Jij! Fransman! Je blijft bij mij. En jij, praatjesmaker, jij gaat samen met mijn vrienden de vrouw en de kinderen ophalen.'

'Ik snijd hem de strot door als hij gelogen heeft', dreigde de hondenman.

Ti'bert rilde toen de stille zich naar hem keerde en gromde: 'En jou rijg ik aan mijn mes als dat vriendje van je domme dingen uithaalt.'

HET GEWEER VAN PA'BERT

De norse pelsjagers kwamen uit een dorp aan de kust. Hun *sagamo* heette Rode Zon. Ze noemden hun stam 'het volk van de Robben'.

'Het is een halve dag lopen', zei de stille man, die blijkbaar de baas was. 'Volg de rivier tot je onze wigwams ziet.'

Hij had duidelijk geen zin om de jacht te onderbreken en Ti'berts uitgeputte groepje te begeleiden. Bever balde zijn vuisten. Hij had geleerd dat Mikmaq steeds klaar moesten staan om mensen in nood te helpen.

'We hebben honger en de kleintjes lijden veel pijn', pleitte tante Li.

De stille haalde zijn schouders op. Een van zijn trawanten gooide een mand met bloederige ingewanden van gestroopte pelsdieren voor Li's voeten.

'Eet dat', gromde hij.

'Hondenvoer', siste Bever.

Tante Li gebaarde dat hij zijn woede moest bedwingen.

'Ik kook er een lekkere stoofpot van', zei ze. 'Als ik het vuur van de jagers mag gebruiken?'

De stille antwoordde met een vaag handgebaar. Li bedankte de norse jager met een gemaakt glimlachje. De mannen raapten hun spullen bij elkaar en vertrokken zonder nog een woord te spreken.

'Smerige honden', verwenste Bever hen achter hun rug. 'Ik hoop dat ze doodvriezen in een blizzard.'

'Eet en zwijg', vermaande tante Li hem. 'Spaar je krachten voor de tocht naar de kust.'

Tegen de avond werden in de verte de omtrekken van het dorp zichtbaar. De Robbenstam had zich genesteld in een fort op een brede richel boven de rivier. Aan de zeekant hielden steile klippen de oceaanwind tegen, terwijl aan de landzijde een dicht beboste helling de kilte uit het noordwesten afstopte.

Alleen rookpluimen boven de wigwams verraadden dat er mensen woonden, maar zodra de vluchtelingen voet zetten op het steile pad naar boven, sloeg een meute honden aan. Enkele gewapende mannen kwamen poolshoogte nemen.

Bever riep dat ze *sagamo* Rode Zon wilden spreken. Om hun vertrouwen te wekken, noemde hij meermaals de naam van zijn eigen stam en van die van *sagamo* Henri. De mannen leken nauwelijks naar hem te luisteren. Wantrouwig bestudeerden ze het uitgeputte troepje, alsof het de voorhoede van een bende vijanden was.

Uiteindelijk gebaarden ze toch dat de vluchtelingen naar boven mochten. Ze uitten niet één woord van welkom.

'Bedankt voor je gastvrijheid', gromde Bever bitter.

'Rustig, rustig', siste tante Li. 'Als ze ons wegjagen, zijn de kleintjes ter dood veroordeeld.'

'Mm', deed Bever nukkig.

Links en rechts bewaakt door grommende honden, liepen ze achter de gewapende mannen aan door het dorp.

Voor een ruime wigwam hield een oude man wijdbeens en met gekruiste armen de wacht. Hij droeg een kostbare, lange mantel van glanzende zeehondenpels. Op zijn hoofd droeg hij een hoge muts van beverbont, waardoor hij wel een halve meter groter leek.

'Rode Zon', zei een bewaker.

Bever boog het hoofd voor de *sagamo* en Ti'bert volgde zijn voorbeeld. Het stamhoofd antwoordde met een bruusk gebaar dat ze mochten binnenkomen.

In de wigwam zaten of lagen enkele vrouwen en wel een dozijn kinderen op bedden van zachte huiden. Boven het vuur pruttelde een tot de rand gevulde soepketel. Een meisje hurkte voor de vlammen en draaide spiesen met dikke vleesbrokken om. Druppels vet vielen in de kooltjes en schoten daar sissend in brand. De vlammetjes wierpen een spookachtig licht op gezichten met nieuwsgierige ogen, die de nieuwkomers aanstaarden.

Tante Li en Marie-Ange begaven zich onmiddellijk naar een oudere vrouw die moeizaam overeind was gekropen. Ze mompelden een groet. De oude wees prompt bedden aan waarop de kleintjes mochten plaatsnemen.

Niemand onderbrak Bever en Ti'bert terwijl ze de *sagamo* over hun wedervaren vertelden. Vrouwen en kinderen stootten kreetjes van afschuw uit, toen Ti'bert het wangedrag van de Irokezen beschreef. De oude vrouw klakte luid met haar tong bij Bevers verhaal over de neergebliksemde boom.

'Laten we eten', zei Rode Zon ten slotte. 'Wanneer iedereen zijn buik vol heeft, zullen de vrouwen jullie gewonde kinderen verzorgen.'

Tijdens de maaltijd sprak niemand een woord. Daarna kleedde de oude vrouw zonder verder omhaal de kleintjes uit. Haar gezicht stond angstaanjagend streng en ernstig, maar haar gebaren waren zo zacht en teder dat de kinderen haar lieten begaan zonder ook maar een kik te geven.

Met lauw water en een zacht leren lapje waste de vrouw het vuil van weken eraf. Ze maakte de ruwe spalken los en betastte de gebroken ledematen. Ze mompelde iets dat op goedkeuring leek. Daarna verving ze de windsels, die tante Li van een oud hemd had gescheurd, door schone doeken en bond ze de spalken weer vast met fijne leren riempjes. Tot slot behandelde ze de andere wonden met zalfjes die het dienstmeisje haar aanreikte.

Rode Zon hield alles en iedereen zwijgend in de gaten. De jongens voelden zich steeds ongemakkelijker worden onder zijn borende blik. Wat betekende de zure trek om zijn mond? Waarom toonden mannen van het Robbenvolk zich altijd zo onvriendelijk?

Van onder zijn wenkbrauwen loerde Ti'bert naar wat er in de wigwam te zien was. Alles wees erop dat het stamhoofd rijk was. Hij bezat een grote verzameling huiden, prachtig versierd met kleurig borduurwerk. Overal tegen de wand lagen stapels goedgevulde manden en tassen, stuk voor stuk kunstig opgefleurd met kralen en gekleurde leren lapjes. In een rek stonden dozijnen siersperen voor dansen en feestelijkheden, allemaal gul voorzien van linten en behangen met lange snoeren van kleurige kralen.

Aan een ander rek hingen de echte wapens. Tientallen bogen en rijkversierde pijlenkokers, plus een vijftal geweren.

Met een schok herkende Ti'bert het jachtgeweer met de extra lange loop. Het geweer dat het eigendom van Pa'bert was geweest! Het kostbare wapen dat Mes van oom Ernest had geroofd!

'Wat...' zuchtte hij, maar hij zweeg meteen.

Rode Zon keek hem extra streng aan. Ti'bert sloeg zijn blik neer, bang en verlegen. De oude smeerlap had hem door! Toen hij weer durfde op te kijken, ontdekte hij valse pretlichtjes in de ogen van het opperhoofd. De schurk lachte hem uit.

Bever had het ook begrepen. Hij ging verzitten en duwde slinks zijn elleboog in Ti'berts zij. Ti'bert boog zijn hoofd nog dieper. Onzichtbaar voor het opperhoofd vormden Bevers vingers een dringend gevaarteken uit de jachttaal.

'Niet verroeren!' seinde hij.

'Nu mogen de kinderen gaan slapen', kondigde de oude vrouw aan.

'De mensen van de Robbenstam hebben een groot hart', bedankte tante Li haar. 'We zullen nooit vergeten wat ze voor ons gedaan hebben.'

Rode Zon sprong overeind, veel sneller en soepeler dan iemand het van een man van zijn leeftijd zou verwachten.

'Neen!' blafte hij. 'Nu zullen we afscheid nemen.'

'Geef de kleintjes een paar dagen rust om op kracht te komen', pleitte Li.

'Jullie zijn Fransen. Jullie moeten onmiddellijk vertrekken', herhaalde de *sagamo*.

Bever balde zijn vuisten in machteloze woede. Wat een schandalig gedrag! Een Mikmaq die mensen in nood in het holst van de nacht de wildernis injoeg?

'Doe wat hij zegt', fluisterde Ti'bert zijn tante in het Frans toe. 'Hij is gevaarlijk.'

Voor tante Li kon reageren, liep de oude vrouw naar haar man toe. Verontwaardigd snauwde ze hem in het gezicht: 'Niemand zal deze mensen als honden de nacht injagen! Die ene jongen is een geboren Mikmaq. In mijn wigwam is een Mikmaq altijd welkom. En er zal ook altijd plaats zijn voor vrienden van de Mikmaq!'

De *sagamo* gromde als een boze hond.

'Dit zijn geen vrienden!' riep hij. 'Het zijn Fransen! Een gevaar voor ons allemaal!'

De oude vrouw legde hem met een verachtelijk gebaar het zwijgen op.

'De kinderen en de vrouw slapen vannacht in onze wigwam', zei ze kordaat. 'Ze zijn mijn gasten. Zo heb ik het geleerd van mijn moeder en van haar moeder. Niemand zal de wetten van onze voorouders met de voeten treden. Ook de *sagamo* niet.'

Haar woorden troffen het opperhoofd als zweepslagen. Tot Ti'berts grote verbazing sloeg de kerel gedwee zijn ogen neer.

'Goed. Eén nacht. Niet langer', grommelde hij.

'Zij daar zal de jongens naar hun onderkomen begeleiden', beval de oude vrouw.

Ze knipperde met haar vingers naar het dienstmeisje. Voor het eerst viel het Ti'bert op dat het nog een kind was. Ze droeg een vuile, korte jurk en een versleten, slordig gelapte broek. Kleren van arme mensen, helemaal niet passend bij de rijkdom die het stamhoofd en zijn familie tentoonspreidden.

Het meisje gehoorzaamde gedwee. Ze sloeg een ruwe elandenhuid om haar schouders. Bij de uitgang van de wigwam nam ze een dikke stok mee. Zwijgend liep ze voor Bever en Ti'bert uit. Een paar keer mepte ze met de stok naar een te opdringerige hond.

'Waar kom je vandaan?' vroeg Bever.

Het meisje wees naar het noorden.

'Waarom werk je voor Rode Zon?'

'Ik moet.'

'Waar zijn je ouders?' vroeg Ti'bert.

Ze antwoordde niet.

'Heeft Rode Zon je ontvoerd uit de wigwam van je ouders?' drong Bever aan.

Even vertraagde ze haar pas. Haar stok zwiepte door de lucht, ook al was er geen hond in de buurt.

'Zijn er soldaten met rode jassen bij de *sagamo* geweest?' vroeg Bever.

Ze haalde haar schouders op.

'Heeft een Franse pelsjager een geweer aan Rode Zon geschonken?' vroeg Ti'bert. 'Een man die ze Mes noemen?'

Weer zwaaide het meisje nerveus met de stok in plaats van op de vraag te antwoorden.

'Hier kun je slapen', zei ze.

Ze sloeg een verweerde dierenhuid open om de toegang tot een wigwam vrij te maken.

'Ga naar binnen. Er woont niemand', zei ze en meteen haastte ze zich met snelle tred terug naar de woonst van Rode Zon.

'De Robbenstam heeft haar ontvoerd en Rode Zon heeft haar tot zijn huisslaafje gemaakt', fluisterde Bever zodra hij alleen was met Ti'bert. 'Dit is geen vreedzame stam. De *sagamo* is een deugniet. Hij zal ons bij de eerste gelegenheid verraden. We moeten morgen vertrekken en heel erg op onze hoede blijven zolang we op de jachtgronden van de Robben zijn.'

'Heb je het geweer van Pa'bert gezien?' vroeg Ti'bert.

'Ja. Dat is een heel slecht teken.'

Waarom heeft Mes het hem gegeven? Of zou Rode Zon het van hem gekocht hebben? vroeg Ti'bert zich af.

'Geschonken of gekocht, dat maakt niet uit', vond Bever. 'Zo een kostbaar wapen geeft niemand zomaar uit handen. Mes heeft het afgestaan om de *sagamo* tot bondgenoot te maken.'

'Rode Zon en Mes bondgenoten...' mijmerde Ti'bert. 'Als zij vrienden zijn, verkeren niet alleen de Fransen, maar ook de andere stammen in gevaar.'

'Iedereen die zich niet aan de wil van de Engelsen onderwerpt, verkeert in gevaar', antwoordde Bever. 'Ook het volk van *sagamo* Henri. Ook jouw Zoete Bes...'

Hij liet zich uitgeput op een bed van oude dennentakken vallen. In paniek sloegen muizen en ander ongedierte op de vlucht.

'We moeten Henri's mensen zo vlug mogelijk waarschuwen', zei Ti'bert.

'Slaap nu, vriend', zuchtte Bever. 'Morgen zal een harde dag worden.'

'Niet alleen morgen', antwoordde Ti'bert met een nog diepere zucht.

Bever reageerde niet. Hij was al in een diepe slaap verzonken.

Sagamo Rode Zon was 's morgens nergens meer te bespeuren. Zijn vrouw schonk tante Li een mand met eten en drinken voor drie dagen. Als de reis naar het dorp van *sagamo* Henri langer duurde, moesten Ti'bert en Bever de rantsoenen aanvullen met voedsel dat ze overal langs de kust konden oogsten.

'De oceaan zorgt goed voor ons', zei de vrouw. 'Niemand hoeft honger te lijden.'

Ze bleef voor haar wigwam wachten tot Li's kleine karavaan het pad naar de rivier bereikt had, opnieuw begeleid door de meute blaffende en grommende honden. Pas toen ze helemaal uit het zicht van het dorp verdwenen waren, durfde tante Li aan Ti'bert te vragen hoe hij er zo snel achter gekomen was dat het stamhoofd een gevaarlijke kerel was.

'Het grote geweer van Pa'bert stond in zijn wigwam. Dat kon alleen betekenen dat hij een bondgenoot van Mes is. En dus een vriend van de Engelsen.'

'Zijn vrouw was wel lief voor ons', meende tante Li.

Bever spuwde vol verachting in de sneeuw.

'Ja, maar vrouwen mogen hun man niet tegenspreken wanneer er vreemdelingen in hun wigwam te gast zijn', gromde hij.

'Waarom zou ik een man niet mogen tegenspreken?' snauwde Li hem bits toe.

'Jij bent geen Mikmaq. Je bent een Franse', antwoordde de jonge indiaan.

Hij schrok ervan dat hij zo brutaal tegen haar was geweest. Schichtig verborg hij zijn gezicht in zijn kap. Dat een indiaanse vrouw een stamhoofd afbekte, was ongehoord, maar dat een knaap zoals hij een volwassen vrouw brutaal tegensprak, was nog veel erger. Hij wachtte op een bolwassing die hem onvermijdelijk leek, maar tante Li liet alleen een spottend lachje horen.

'Oh...' was alles wat ze zei.

'Het spijt me', fluisterde Bever.

'Al goed, al goed', antwoordde Li. 'Je hebt gelijk. Fransen hebben andere gewoonten dan de Mikmaq. Aan jou om uit te maken wat jij het best vindt.'

De jonge indiaan voelde zijn wangen gloeien. Zelf uitmaken wie en wat hij het beste vond? Nog nooit had hij zo intens gevoeld hoe de vreemdelingen uit Europa zijn wereld veranderd hadden.

Ten goede of ten kwade? Hij moest er met Ti'bert over spreken, maar voorlopig was daar geen tijd voor. Eerst moest hij ervoor zorgen dat zijn Franse gasten veilig het winterkamp van *sagamo* Henri bereikten.

Daarvoor moest hij het verleden en de verre toekomst uit zijn gedachten bannen. Vooral denken aan het hier en nu. Dat was de regel bij de Mikmaq.

Hij rechtte zijn rug en als een echte indiaanse krijger nam hij de leiding van het groepje weer op.

Het pad over de bevroren rivier liep over ijsschotsen die op en neer deinden als een door stormen gegeseld scheepsdek. Van alle kanten klonk gekraak, alsof het ijs het elk ogenblik kon begeven. Als verkenners moesten Ti'bert en Bever regelmatig over brede barsten springen, zonder te weten hoe sterk de ijskorst aan de overkant was. Het kostte hen de grootste moeite om de rest van de groep veilig naar de overkant te gidsen.

Aan de voet van een klip troffen ze vrouwen van de Robbenstam aan. Ze sleurden slierten zeewier op het droge. Anderen waadden met blote benen door het ijskoude water om schelpen van de rotsen te plukken. De oude vrouw had niet overdreven. Zelfs in het hartje van de winter leverde de oceaan nog volop voedsel!

Een nieuwsgierige wierplukster vroeg waar de reis naartoe ging. Tante Li gebaarde naar het noorden.

'We zijn op weg naar de stam van de Beer.'

'Daarvoor neem je het best het hoge pad over de klippen', zei de vrouw. 'Daarboven is het veiliger dan langs de waterlijn.'

Het pad dat ze aanwees, was inderdaad breed en gemakkelijk te volgen. Het slingerde heuvel op en heuvel af, maar nergens waren de hellingen echt steil. Het vervelende was dat de harde wind hun op de hoogten geen rust gunde, zelfs niet toen ze door een bos trokken. De bomen stonden zo ver van elkaar dat de wind ook daar vrij spel had.

Ti'bert en Bever waren onafgebroken in beweging. Ze renden om beurten voorop om de weg te verkennen en wanneer ze later hijgend bij de groep terugkeerden, blonk hun gezicht van het zweet.

De gewonde kinderen stelden het minder goed. Hoe stevig ze ook ingeduffeld waren, toch begon de koude te bijten. Li en Marie-Ange moesten de kleintjes regelmatig onder hun mantel nemen om hen enigszins te ontdooien.

'Op het strand waait de wind nog harder', antwoordde Ti'bert toen tante voorstelde toch maar de lager gelegen weg langs de oceaan te nemen.

'Overal bedekt ijs de rotsen', zei Bever. 'Je kunt er geen voet voor de andere zetten, zonder uit te schuiven. En met de slede kom je er helemaal niet vooruit.'

En dus trotseerden ze verder de koude op de klippen.

Vier mannen kwamen hen tegemoet. Ze liepen als eenden achter elkaar over een kale vlakte tussen twee bossen. Ti'bert was de eerste die hen van tussen de bomen had zien opduiken. Hij sloeg meteen alarm.

Bever wees naar een plukje struikgewas op een meter of twintig van het pad.

'Daar kunnen we ons verstoppen', zei hij.

'Ze zullen onze voetsporen in de sneeuw zien', waarschuwde Ti'bert.

'Ik leer je een trucje van de Mikmaq, Franse vriend. Trek je mantel uit.'

Hij legde de zware elandenhuid op de wegrand en deed voor hoe ze erover konden stappen zonder in de sneeuw weg te zakken. Zijn eigen mantel vormde de volgende stapsteen en erachter spreidde hij de jas van tante Li uit.

Zodra iedereen over de wegrand was, trok hij Ti'berts mantel als een veegborstel naar zich toe. Slechts een heel aandachtige waarnemer had nog kunnen zien dat de sneeuw op die plek beroerd was. Ze stapten van mantel naar mantel tot ze de schuilplek achter de struiken hadden bereikt.

'Nu niet meer verroeren tot die venten voorbij zijn', beval Bever.

Zelfs de kleintjes leken het te begrijpen.

De pelsjagers waren zo gehaast dat ze geen oog hadden voor het deukje in de sneeuwberm. Ze praatten luid en ze lachten zo mogelijk nog harder. De reden voor hun vreugde was duidelijk. Alle vier torsten ze dikke pakken kostbare huiden.

'Rode Zon zal nog rijker worden', foeterde Ti'bert.

'Rode Zon én Mes', wees Bever zijn vriend terecht. 'Ze zullen alle twee profiteren van wat die jagers hebben buitgemaakt.'

'Je hebt gelijk', gromde Ti'bert. 'Die twee schurken hebben allebei hun ziel verkocht om handel te kunnen drijven met de Engelsen.'

'Ze gaan samen hun ondergang tegemoet', zei tante Li met een verbeten trek om haar mond. 'Eerst zullen de Engelsen de indianen uitpersen en ze daarna van hun beste gronden verjagen. Ook de Franse verraders zullen ze uitspuwen, zodra ze hen niet meer nodig hebben. Het protestantse schorremorrie zal niet rusten voor het het hele land in handen heeft. Pa'berts voorspelling zal nog sneller uitkomen dan hij ooit had kunnen vermoeden.'

'Willen de Fransen dan niet hetzelfde als de Engelsen?' vroeg Bever. 'Kwamen zij niet van over het grote water om zich in het land van de Mikmaq te vestigen?'

'Pa'bert heeft nooit gestolen van de Mikmaq', antwoordde Ti'bert nijdig.

'*Sagamo* Henri heeft de familie Druon een stuk land gegeven dat de stam niet nodig had', trad Li hem bij. 'In ruil hebben wij hem en zijn mensen geholpen.'

'Zijn alle Fransen even eerlijk als Ti'berts grootvader?' vroeg Bever.

'Ik hoop het', antwoordde Li. 'Ik ben maar een gewone boerin. Ik weet alleen dat ik gehoord heb dat Fransen en indianen ook elders als goede buren naast elkaar woonden. Ze dreven eerlijk handel met elkaar tot de Engelsen tussenbeide kwamen. Dat is alles wat ik weet.'

Bever keek ernstig terwijl hij haar woorden liet bezinken. Niets in zijn gelaatsuitdrukking verraadde of hij haar geloofde of niet. Ernstige mensen denken eerst na vooraleer ze hun gevoelens of gedachten tonen. Ook dat hadden de ouderen hem geleerd.

'Je hebt me verteld dat *sagamo* Henri en zijn mensen tot dezelfde God bidden als de Fransen', zei hij toen. 'Waarom hebben de Mikmaq hun goden geruild voor die van de blanken?'

'Omdat onze God beter is', antwoordde Ti'bert.

'Omdat *sagamo* Henri onze God beter vond', vulde tante Li aan.

'Bidt Mes dan tot een andere God die hem niet zal straffen voor zijn misdaden?' schoot Bever terug. 'De God van de Engelsen misschien?'

'Mes kent God noch gebod', zei Li.

'De indiaanse goden hebben Rode Zon er niet van weerhouden zijn ziel aan de Franse pelsjager en aan zijn Engelse meesters te verkopen', mopperde Ti'bert. 'En ze hebben evenmin de Irokezen tegengehouden!'

'De goden zullen hen straffen', antwoordde Bever fel. 'Maar eerst hoop ik de kracht te vinden om wraak te nemen voor wat zij mijn familie hebben aangedaan!'

'Ooit zal ik Mes voor zijn misdaden laten boeten', dreigde Ti'bert. 'En daarna zal God hem nogmaals straffen.'

'Die dag zal ik aan je zijde staan, vriend', beloofde Bever.

Tante Li keek hoofdschuddend naar het tweetal. Enkele maanden geleden waren ze nog zorgeloze kinderen geweest. En nu discussieerden ze over goden en snakten ze als wrede wolven naar de dag waarop ze de gelegenheid kregen mensen te vermoorden.

'Ik bid dat jullie Mes of de Irokezen nooit meer ontmoeten', zei ze.

'Ik bid dat mijn arm ijzersterk zal zijn en mijn mes vlijmscherp', antwoordde Bever fel.

'God, bescherm ons allemaal', bad tante Li in stilte. 'Zorg er alstublieft voor dat deze jongens niets ergs overkomt.'

DE KREET VAN EEN UIL

Voor de nacht groeven ze in het bos een sneeuwhol in de flank van een diepe geul. Ver van het pad en helemaal beschut tegen de ijswind voelden ze zich veilig en comfortabel.

Het vlees dat Rode Zons vrouw had meegegeven, hoefden ze niet aan te spreken. Bever had onderweg met een duivels genoegen enkele vallen van pelsjagers leeggemaakt. Normaal zou hij nooit de buit van een ander gejat hebben, maar zelfs tante Li vond dat stelen van de Robbenstam geen zonde was.

'Dat is hun straf omdat ze samenwerken met een bandiet', zei ze.

In de loop van de nacht viel er wat sneeuw en gedurende korte tijd trok boven hun hoofd de wind aan. Niemand durfde nog te slapen, bang voor een blizzard. Tegen de ochtend ging de wind echter liggen en nog voor ze de gewonden op de slede geladen hadden, brak in de verte de hemel open.

'Straks schijnt de zon!' beloofde Marie-Ange.

'Dan klauter ik in de hoogste boom en ik roep naar Zoete Bes', lachte Bever.

Ti'bert draaide zich om alsof een horzel hem gestoken had. In de sombere dagen die achter hem lagen, had hij geen tijd gehad om aan het meisje te denken. En uitgerekend nu, bij het eerste streepje zonneschijn, nu de redding zo nabij leek, moest Bever hem op zo een flauw spottoontje plagen.

'Houd je maar stevig vast aan de boom', gromde hij tegen zijn vriend. 'Want ik schud zo hard dat je eruit tuimelt en alle botten in je lijf breekt.'

Bever schaterde het uit.

'Weet je tante al dat je verliefd bent?'

'Wie zegt dat ik verliefd ben? Idioot!'

Ti'berts gezicht kleurde hoogrood. Bever sloeg op zijn dijen van leedvermaak.

'Misschien verklap ik het aan tante Li', treiterde hij.

'Waag het niet!'

'Wie is Zoete Bes?' vroeg Marie-Ange, die een flard van het gesprek had opgevangen.

'Sst!' deed Bever. 'Dat mag je pas weten als je broer in de wigwam van haar grootvader slaapt.'

Ti'bert mepte met een stok tegen een met sneeuw beladen tak boven Bevers hoofd. Een dik pak plofte op de jonge Mikmaq.

'Afkoelen', zei Ti'bert.

Bever schaterde het uit. Marie-Ange keek de jongens niet-begrijpend aan.

'Stappen!' riep tante Li van ver.

'Stappen!' herhaalde Bever.

De zonnestralen die steeds vaker door de wolken priemden, gaven iedereen moed. Tante Li hoefde haar kinderen niet langer aan te porren, want ze stapten zo onvermoeibaar voor haar uit dat ze hen soms zelfs moest intomen. De gewonde kleintjes hadden minder last van de koude. Ze zeurden er wel over dat hun wonden jeukten, maar dat noemde Li een goed teken.

'Jullie zijn aan het genezen', zei ze.

Ze sloeg haar ogen ten hemel en prevelde een dankgebed. Nooit in de voorbije dagen had ze durven dromen dat ze allemaal levend tot bij *sagamo* Henri zouden raken. Ze was zelfs zo uitgelaten dat ze met luide stem een devoot kerkliedje aanhief. Ti'bert en Marie-Ange vielen spontaan in. Ze zongen en zwaaiden met hun armen alsof ze in een feestelijke processie achter hun priester liepen.

'Wat hebben jullie?' vroeg Bever, die net van een verkenningstocht terugkeerde. 'Het lijkt wel feest!'

'De zon schijnt', antwoordde tante Li.

De noordelijke jachtvelden van de stam van de Beer grensden aan de grote rivier die de Fransen 'Saint-Laurent' noemden, had Antoine gezegd.

Maar waar lag die rivier precies? Hoelang moesten ze nog lopen om het land van *sagamo* Henri te bereiken? En hoe moesten ze in dat uitgestrekte jachtgebied het dorp vinden?

Bever was het raadselspelletje beu.

'De stam overwintert bij de zee', zei hij. 'Dat is het enige dat we zeker weten. Je hebt gezien dat de vrouwen van de Robbenstam op het strand naar voedsel zochten. De kans is dus groot dat we ook het volk van de Beer vlak bij de kust zullen vinden.'

Ze verlieten het bos en liepen zo dicht bij de rand van de klippen als ze maar durfden. Regelmatig waagden de jongens zich tot aan de rand van de afgrond, waar de bodem zo kon afbrokkelen en hen mee in de dieperik sleuren. Nergens op het strand zagen ze sporen van mensen. Tegen de late middag bleef er nauwelijks iets over van hun goede humeur.

Moedeloos trokken ze zich op de avond van de derde dag terug in het bos om zich daar weer in de sneeuw in te graven. Opnieuw beperkten ze zich tot kleine vuurtjes. De vlammetjes waren te zwak om de vrieskou te verdrijven en boden nauwelijks genoeg warmte om de laatste stukken vlees te braden.

'Morgen moeten we afdalen naar het strand om eten te zoeken, anders lijden we honger', voorspelde Ti'bert somber.

'Ach, morgen vinden we *sagamo* Henri en dan zijn onze zorgen voorbij', zei tante Li om hem moed in te spreken.

'Morgen', zuchtte Ti'bert.

'Ik ben toch zo moe', zeurde Marie-Ange.

'Doe niet flauw. Je houdt het nog wel een dagje vol', zei tante Li.

Ze trok het zeil voor de ingang van het hol dicht en luisterde naar de geluiden uit het bos. Enkele maanden geleden zouden ze haar nog bang gemaakt hebben, maar nu klonken ze haast vredig en geruststellend.

Het luidst kreten de zeevogels. Geen wonder, ze bevonden zich ten slotte op nauwelijks meer dan een boogscheut van de kust. Vogels deden niemand kwaad, bedacht ze.

Vlakbij siste hete as onder de sneeuwlaag waarmee Bever het

vuur afgedekt had. Geen reden om ongerust te zijn. Integendeel, want door de sneeuw kon geen rook naar buiten dringen en de aandacht van toevallige voorbijgangers trekken.

Van ergens kwam wolvengehuil, te ver om Li te verontrusten.

Dichterbij liet een elandstier met zijn brutaalste reutelgeluid verstaan dat er met hem niet te spotten viel. Het was een boodschap aan de mannetjes van zijn soort, mensen hoefden er niet bang van te zijn.

Ze sloot haar oren voor de geluiden van buiten. In de hoek van de tent hoorde ze de jongens snurken. Een kind kreunde. Marie-Ange prevelde in haar droom.

'God, heb medelijden met ons', bad ze. 'Laat ons nu niet meer in de steek. Niet nadat we zoveel afgezien hebben. Zeker niet nu de verlossing zo nabij is.'

Met die smeekbede viel ze in slaap.

Ti'bert droomde dat hij de stem van Mes hoorde. Een andere stem antwoordde, ook in het Frans. Was het de lelijke kerel die ze Schele noemden?

Hij spitste zijn oren. Met een schok besefte hij dat het geen droom was. De stemmen waren echt!

Hij hoorde nog meer mannen praten. Ze spraken de taal van de Mikmaq.

Met zijn handpalm op Bevers mond gaf hij zijn vriend een flinke duw. Bever schoot pruttelend wakker, maar met de hand over zijn lippen kon niemand buiten het hol zijn boze protest horen.

'Luister', fluisterde Ti'bert in zijn oor.

De stemmen verwijderden zich.

'Ze gaan naar het noorden', fluisterde Bever, die nu helder wakker was. 'Met hoeveel waren ze?'

'Ik heb de stemmen van Mes en Schele gehoord. En die van een heleboel indianen. Ik weet niet hoeveel.'

'Ze trekken naar het noorden', herhaalde Bever. 'Wat zoeken ze daar? Het dorp van je vrienden?'

Een draaikolk van vragen tolde door Ti'berts hoofd. Mes en Schele? In het gezelschap van Rode Zon en zijn krijgers? Mes, die voorspeld had dat geen enkele stam het nog zou wagen Franse kolonisten onderdak te bieden! Was hij van plan de stam van de Beer aan te vallen?

'We moeten *sagamo* Henri waarschuwen', zei hij beslist. 'Mes heeft de mannen van de Robbenstam opgehitst. Hij wil de stam van de Beer uitroeien, net zoals hij met jouw mensen heeft gedaan!'

Ze wekten tante Li. Voor de vrouw goed en wel besefte wat de jongens van plan waren, kropen de twee al de tent uit.

'Voorzichtig!' riep Li hen na.

'Wacht hier met de kinderen! Ik kom je later ophalen', beval Ti'bert.

Li voelde een steek in haar hart. Haar neefje had niet als een kind gesproken, maar als een volwassen man...

Ondanks de duisternis waren Mes en zijn bende in een haast rechte lijn door het bos gelopen. Een bewijs dat ze precies wisten waar ze naartoe gingen. Ti'bert en Bever volgden in hun voetsporen. Ze repten zich van boom naar boom, schaduwen die even opdoken en snel weer in het donker verdwenen. Het duurde niet lang voor ze hun vijanden hoorden. Nog voorzichtiger slopen ze naderbij.

Ineens hielden de indianen zich stil. De jongens doken weg in het donker. Met gespitste oren en wijd opengesperde ogen probeerden ze te achterhalen waar Mes en zijn troep zich ophielden.

'Bosrand,' fluisterde Bever.

De indianen zaten ineengedoken achter de houtwal aan de rand van het bos. Bever en Ti'bert slopen geruisloos achter de overvallers door. Toen ze op hun beurt de rand van het woud bereikten, strekte zich voor hen een open ruimte uit.

Daar had de stam van de Beer tussen het woud en de klippenoever zijn wigwams opgeslagen. Het dorp zag er in het nachtelijke duister net zo uit als dat van Bever destijds. Met een beetje fantasie kon Ti'bert zich zelfs voorstellen waar hij met zijn familie geslapen had.

Waar Bever had gewoond. Waar de *sagamo* vermoord was. Waar...

Hij dwong zichzelf de verschrikking van die nacht te vergeten. Het enige wat hem op dit ogenblik mocht bezighouden, was een plan om de Berenstam te redden. Hij moest iets ondernemen opdat Zoete Bes niet als slavin in handen van Rode Zon viel! Zelfs al kostte het hem zijn leven! Bever onderbrak zijn gepeins.

'Kun je huilen als een wolf?' vroeg de indiaanse jongen.

'Ja. Neen. Misschien. Waarom?'

'Om de honden in het dorp nerveus te maken.'

'Ik zal het proberen.'

'Op mijn teken.'

Bever hield zijn handen als een trechter voor zijn mond en stootte een langgerekte wolvenkreet uit. Ti'bert deed hem na zo goed hij kon.

Of ze de wolven goed nagebootst hadden of niet, zouden de jongens nooit weten, maar voor de honden bleek hun gehuil overtuigend genoeg. Als razend begonnen ze allemaal tegelijk te blaffen.

Mannen met fakkels kwamen slaapdronken uit de wigwams, om uit te vinden wat de dieren bezielde. Na een tijdje brulde iemand boos dat de honden zich koest moesten houden.

Nu slaakte Bever de noodkreet van een uil. De honden reageerden niet op dat geluid, maar de mannen wel. Zoals Bever had gehoopt, raakten ze flink in de war.

De kreet die Bever had nagebootst, was die van een uilensoort die alleen in het binnenland voorkwam.

Een fout geluid, maar ook een oud trucje om alarm te slaan.

Bevers hart bonkte wild. De mannen van de Berenstam leken zijn boodschap begrepen te hebben. Maar hoe zat het met Mes en zijn trawanten? Hadden die ook door dat dit geluid hier niet op zijn plaats was?

De overvallers hielden zich een goede honderd meter rechts van hem schuil. Hij spitste zijn oren om hun reacties op te vangen. Doodse stilte. Was het een goed teken?

Hij liet de uilenkreet nogmaals weerklinken. Van de plek waar de overvallers zich ophielden, kwam nog steeds geen reactie. Mooi! De idioten hadden zijn trucje niet door!

In en rond het dorp doken steeds meer fakkels op. De mannen hadden hun wapens meegenomen. Onrust breidde zich uit. Bever deed er nog een schepje bovenop met de kreet van een stervende uil.

De mannen van de Berenstam begrepen zijn dringende boodschap. Wie nog geen wapen had, rende nu terug naar huis om mes, bijl en speer te halen. Waarschuwende kreten galmden over de sneeuwvlakte.

Alarm!

Nu ontstond er wel geroezemoes bij de schurken in de bosrand. De overvallers hadden door dat hun aanwezigheid verraden was. Door wie? Waardoor? Was iemand onvoorzichtig geweest? Had iemand iets gedaan waardoor de honden gealarmeerd waren?

Bever luisterde tevreden naar het drukke gefluister van zijn vijanden. Hij stak trots een duim op naar zijn vriend.

'Ik ren naar het dorp', fluisterde Ti'bert. 'Ik ga mijn vrienden vertellen waar Mes en zijn bandieten zitten.'

'Wil je zelfmoord plegen?' siste Bever hem ontzet toe. 'De rotzakken van Rode Zon schieten je zo af. Ik heb een beter plan. We lopen nog een klein eindje verder naar links. Daarna sluipen we als mollen door de hoge sneeuw. De kerels van de Robbenstam hebben op dit ogenblik alleen oog voor het dorp. De kans dat ze ons zullen zien, is heel klein. Eenmaal halfweg zetten we het op een lopen. Volgens mij zijn we dan buiten het bereik van hun pijlen.'

'En van hun kogels', hoopte Ti'bert.

Het bloed bonsde in zijn slapen. Zij aan zij met Bever krabde hij een pad door de zachte sneeuw. Zijn handen en armen bewogen als bij het zwemmen. Zijn benen sleepten als stramme stokken achter hem aan.

Bever wierp snel een blik boven de grond. De overvallers zaten nog altijd weggedoken achter de houtwal. In het dorp flakkerden tientallen toortsen. Hij schatte dat ze ruim halfweg waren.

'Klaar?' fluisterde hij naar Ti'bert.

'Klaar.'

'Ga!'

Als wezens uit een bevroren onderwereld sprongen de jongens overeind. Voortgejaagd door doodsangst renden ze naar het dorp. Enkele krijgers kwamen hen tegemoet, hun messen en bijlen klaar om toe te slaan.

'Vrienden! Vrienden! Vrienden!' gilde Ti'bert aan één stuk door.

'Rode Zon valt aan! Rode Zon valt aan!' schreeuwde Bever terwijl hij hevig gebaarde naar de bosrand, waar de vijanden zich nog altijd niet lieten zien.

De krijgers begeleidden de jongens naar het dorp.

'*Sagamo* Henri! Waar is *sagamo* Henri?' riep Ti'bert met overslaande stem.

'Kleine Albert!'

Antoine liep naar de jonge Fransman.

'Daar! In de bosrand! Twee Franse verraders en de troep van Rode Zon. Ze gaan je dorp overvallen!'

Een lichtflits in het struikgewas. Een luide knal. Een overvaller was zo zenuwachtig geworden dat hij de trekker van zijn geweer had overgehaald. Oerdom, want de kogel plofte ver van het dorp in de sneeuw.

'Ze komen!' schreeuwden Antoines krijgers.

Tientallen gestalten maakten zich los uit de donkere bosrand. Met grote stappen haastten ze zich op sneeuwschoenen naar het dorp van de Berenstam. Antoine brulde een bevel. Zijn krijgers trokken zich terug achter een barricade. Voor Rode Zon en zijn handlangers leek het bouwsel in het duister op een simpele sneeuwwal. In feite was het een stevige muur van puntige staken waar een hoop sneeuw tegen gewaaid was.

De boogschutters van de Robbenstam vuurden een wolk van pijlen af naar de krijgers achter de wal. De projectielen doorboorden de sneeuw, maar bleven in de houten palen steken. Een tiental geweren knalden. Ook die kogels ploften tegen het hout zonder schade aan te richten.

Nu beantwoordden Antoines boogschutters de aanval. Ze sprongen overeind en schoten in een hels tempo hun pijlen af. De aanvallers botsten als het ware tegen een muur van ijzeren punten. Een tiental krijgers stortten dood of gewond neer, terwijl hun kameraden, gedreven door de razernij van de veldslag, toch nog vooruitrenden.

'Vuur!' schreeuwde Antoine.

Ditmaal knalden de geweren van zijn schutters. Opnieuw ging een aantal mannen van de Robbenstam tegen de grond. De overigen aarzelden. Ze keken in paniek om zich heen, telden met hoe weinig ze nog waren en vroegen zich af of het nog zin had door te gaan.

'Aanvallen! Slappelingen!' tierde Mes.

Hij zat op zijn knieën in de sneeuw, verscholen achter een rij gesneuvelden.

'Aanvallen!' brulde hij terwijl hij zijn geweer op de verdedigingslinie van de Berenstam richtte.

De mannen van Rode Zon kwamen aarzelend weer in actie. Bijna tegelijkertijd wipten Antoines krijgers vanuit hun dekking omhoog om hun ongelukkige tegenstanders op een nieuwe pijlenregen te trakteren.

Mes haalde de trekker over.

Antoine zag het vuur uit zijn geweerloop. Een eenzame schutter die vanuit de achterhoede de troepen ophitste? Dat kon alleen een blanke chef zijn, dacht hij, want indiaanse opperhoofden streden met hun mannen mee in de voorste linies. Zelfs een hondsvot als Rode Zon!

IJzig kalm richtte hij de loop van zijn wapen op de knielende gestalte. De ontploffing deed zijn oren zinderen. De lichtflits verblindde hem. Kruitdamp vulde zijn neusgaten. Onverstoorbaar wachtte hij tot de knielende gestalte wankelde en languit voorover in de sneeuw viel.

'Huh!' ademde Antoine uit.

De overlevenden uit de bende van Rode Zon vluchtten naar het bos, op de hielen gezeten door Antoines troepen.

'Ik wil ze levend in handen krijgen!' schreeuwde hij zijn mannen na.

Hij twijfelde eraan of zijn razende vechtersbazen het bevel nog gehoord hadden.

EEN NAAM VOOR 'S MORGENS,
EEN VOOR 'S AVONDS

De zegevierende Mikmaq ontstaken een groot vreugdevuur. Ze dreven hun gevangenen bij elkaar tegen de muur waarop hun aanval gestrand was en bonden ze met dikke touwen aan elkaar vast.

Mes, Rode Zon en Schele gooiden ze een eind verderop in de sneeuw. Hun handen en voeten waren strak aan elkaar gesjord in een spinnenweb van touwen en riemen. Het opperhoofd gaf geen kik. Schele jankte dat hij zou doodvriezen. Mes jammerde nog luider dat hij vreselijk veel pijn had. Antoines kogel had zijn kaak verbrijzeld. Niemand maakte aanstalten om de schurken uit hun lijden te verlossen.

De krijgers van de Berenstam troepten samen en luisterden met gebalde vuisten naar het verslag van Ti'bert en Bever over hun verschrikkelijke reis. Oorlogschef Antoine brulde dat Mes, Schele en Rode Zon direct terechtgesteld moesten worden. In blinde razernij eiste hij zelfs dat de twee Fransen de folterdood zouden krijgen.

'Wat voor een lage schurken die zo hun eigen mensen verkopen!' tierde hij. 'Ze zijn het niet eens waard dat ik het hart uit hun lijf ruk!'

'Rustig, zoon', suste *sagamo* Henri. 'Laat je niet door woede verblinden. Straks zullen de oude mannen over hun lot beslissen. Vanavond, wanneer we tijd hebben gehad om na te denken.'

'Vader! Die schurken hebben niet alleen hun Franse stamgenoten verraden! Ze hebben onze vrienden van de stam van de Steur verkocht aan de Irokezen! Waarom nog langer palaveren? Waarom scheuren we hen niet meteen aan stukken?'

Opnieuw probeerde Henri zijn zoon tot bedaren te brengen. Het zou hem waarschijnlijk niet gelukt zijn, als tante Li niet had gesproken.

'We zijn christenen!' zei ze ferm. 'Ook jij, Antoine, bent gedoopt.

Laat je niet door zondige wraaklust verblinden. Gun je vijanden een eerlijk proces. Laat de wijzen een oordeel vellen, zoals je vader het wil.'

Antoine staarde haar verbluft aan. Hoe durfde die vrouw hem af te bekken in het bijzijn van zijn krijgers? Maar toen nam *sagamo* Henri het woord.

'Tante Li heeft goed gesproken, mijn zoon', zei hij. 'Beter dan wij kent ze de wijsheid uit het grote boek van de blanke priester. Vanavond oordelen we met een helder hoofd over het gedrag van de bandieten. Zo wil ik het.'

Antoine stampte nijdig op de grond, maar voor het tot een nieuwe woede-uitbarsting kwam, vroeg Bever het woord.

'Wat?' schreeuwde Antoine geërgerd.

Bevers stem trilde van zenuwachtigheid. Een snotneus die een machtige krijger onderbrak terwijl die zijn heilige razernij uitleefde, was ongehoord. Hij schraapte zijn keel en richtte zijn ogen onderdanig op de grond.

'Mijn vader en moeder zijn gevangenen van de Irokezen', zei hij. 'Samen met tientallen leden van de stam van de Steur zijn ze de speelbal van hun vijanden. Waarom ruilen we de Franse boeven niet voor de mensen van mijn volk?'

Henri en zijn zoon staarden hem met open mond aan. Waarom hadden zij niet aan die oplossing gedacht?

'Vergeet niet dat Bever jullie leven gered heeft', kwam Ti'bert tussenbeide, brutaal zoals alleen een blanke jongen het aandurfde.

Sagamo Henri knikte echter instemmend.

'Zo zal het geschieden, jongens', zei hij. 'Morgen bij het eerste licht zal een afvaardiging met Bevers voorstel vertrekken. De Engelsen hebben een fort gebouwd op de plek waar eens de Franse huizen stonden. Zij zullen de Rode Jassen vragen de gevangenen te bevrijden zodat we hen voor hun handlangers kunnen ruilen.'

Bever en Ti'bert glunderden. Antoine kon het niet nalaten op Rode Zon te spuwen.

'Deze hond laten we niet los', gromde hij. 'We leveren hem uit aan de rechtbank met de hoop dat de oude mannen wijs en genadeloos zullen zijn.'

'Goed gesproken, zoon', zei Henri.

Tante Li knielde in de sneeuw. Ze vouwde haar handen en zei: 'Laten we bidden om de Heer te danken en laten we hem vragen dat hij ons behoedt voor nog meer onheil.'

Spontaan boog *sagamo* Henri het hoofd. Hij vouwde vroom zijn handen en bad met haar mee. Antoine en zijn mannen vergaten even hun wraakgevoelens en volgden het voorbeeld van hun stamhoofd.

Voor de vrouwen en de kinderen was dat het teken dat ze zich eindelijk bij de mannen in de kring mochten voegen. Eerst wandelden ze echter langs de gevangenen om hen te vernederen, zoals het bij hun volk de gewoonte was. Ze spuwden op de geknevelde krijgers. De leiders van de overval kregen een extra portie verachting, spot en bedreigingen. Rode Zon smeekte om vergiffenis voor zijn wandaden. Schele jankte als een laffe hond dat Mes hem tegen zijn zin gedwongen had mee te doen. Mes was buiten bewustzijn.

'Waar is Zoete Bes?' fluisterde Bever in Ti'berts oor.

De vrouwen en de meisjes kwamen naar de mannen. Ti'bert maakte een gebaar in hun richting.

'Daar', kreunde hij, terwijl hij schuw zijn hoofd afwendde.

Hij begreep niet wat hem overkwam. Wekenlang had hij aan haar gedacht. Ze was in zijn dromen verschenen. Hij had zijn leven op het spel gezet om haar te redden. En nu hij haar eindelijk zag, verstarde hij. Verlegen als een sullig ventje.

Bever had daar geen last van. Al had hij Zoete Bes nog nooit gezien, toch herkende hij haar meteen.

Het kon niet anders, of Zoete Bes was het opgeschoten meisje dat onmiddellijk zijn aandacht had getrokken met haar stralende glimlach. Een muts van zilverkleurig, langharig bont omsloot als een stralenkrans haar ronde gezicht.

Ze droeg een elegante, lange mantel van goudkleurig hertsleer, overvloedig versierd met borduurwerk, linten en kralen. Zonder twijfel haar eigen handwerk, want een indiaans meisje moest zulke pronkstukken maken om te bewijzen dat ze een goede huisvrouw was. En een prima echtgenote voor de man die haar familie voor haar zou kiezen.

'Ti'bert!' riep ze blij, terwijl ze naar de jonge Fransman liep.

'Dag...' was het enige dat Ti'bert kon antwoorden.

Ze bleef op een paar passen van hem stilstaan. Onder haar nieuwsgierige blik sloeg zijn gezicht helemaal rood uit.

'Vader heeft gelijk gekregen', zei ze. 'Hij zei dat je ons ooit zou terugvinden. En ik heb hem altijd geloofd.'

'Het was een moeilijke reis', antwoordde Ti'bert bescheiden.

De moeder van Zoete Bes kwam naar hem toe. Ti'bert boog diep zijn hoofd om zijn kleur te verbergen. De vrouw stak haar armen uit om hem te omhelzen.

'Ti'bert!' riep ze. 'Welkom!'

Hij staarde nog intenser naar de grond en deed een stap achteruit, maar er was geen ontkomen aan. Ze greep hem met beide handen vast en ze drukte hem zo stevig tegen haar boezem dat hij haast geen lucht meer kreeg.

'Dank je. Ik ben blij dat ik bij jullie ben', fluisterde hij.

'Je bent zo groot geworden', feliciteerde de vrouw hem. 'Groot en sterk. Als ik niet beter wist, had ik je voor een volwassen krijger gehouden!'

Ti'bert bloosde nog harder, maar de vrouw trok zich daar niets van aan. Ze greep de jongen bij de schouders en draaide hem om naar de rest van het gezelschap.

'Kijk eens naar hem!' riep ze. 'Is de kleine Albert geen mooie, sterke kerel geworden?'

Ti'berts hart bonkte wild in zijn borstkas. Alle spieren in zijn buik krompen samen. Hij trilde als een espenblad.

Iedereen staarde hem aan. *Sagamo* Henri met zijn eeuwige monkellachje. Tante Li met in verbazing opgetrokken wenkbrauwen. Marie-Ange met grote ogen vol verwachting. Zoete Bes met een stout glimlachje. Zelfs Antoine, die zopas nog druk met Bever had staan overleggen, had nu alleen nog aandacht voor hem.

Hij sloeg zijn ogen neer. Hij kon de keurende blikken niet langer verdragen. Waarom lieten ze hem niet met rust? Wat verwachtten die lui van hem? Dat hij in het openbaar zijn liefde zou verklaren aan Zoete Bes? Geloofden ze heus dat hij zomaar een belofte zou uitspreken die zijn leven voor eeuwig veranderde?

Hij zoog zijn longen vol lucht en balde zijn vuisten om zijn kalmte te herwinnen. Maar voor hij tegen de plaaggeesten kon uitvaren, brak Antoine de spanning. Met een luide bulderlach bokste hij speels tegen de schouder van Bever, een gebaar van mannen die pret hebben om een geheim dat alleen echte kerels kunnen delen.

'Durft hij het te vragen of durft hij het niet?' riep Antoine.

'Mijn vriend Ti'bert durft álles', antwoordde Bever en treiterend voegde hij eraan toe: 'Ik wed dat hij nu meteen de hand van je dochter zal vragen!'

Ti'bert was bang dat hij ging ontploffen. Dat Bever hem zo durfde uit te dagen! Dat de rotzak hem belachelijk durfde te maken met dat onnozele schertstoontje!

'Toe nu, Petit Albert!' zei *sagamo* Henri op het neerbuigende toontje dat oude mannen weleens aanslaan tegen jonge jongens. 'Kijk niet zo beteuterd!'

Zoete Bes en haar moeder giechelden. Ti'berts hoofd tolde. Het liefst was hij het bos ingevlucht om van alle gedoe verlost te zijn. Maar toen legde Antoine zijn sterke klauw om zijn schouder.

'Spreek, kleine Fransman!' riep hij luid genoeg opdat iedereen in het kamp het hoorde. 'Is het waar wat de moeder van mijn dochter denkt? Is het waar dat onze Zoete Bes het waard is om jouw vrouw te worden?'

Ti'bert keek schichtig om zich heen. Allemaal lachende gezichten, ongeduldig wachtend op zijn antwoord. Op het enige antwoord dat ze zouden aanvaarden.

'Ja', fluisterde hij ten slotte, zo stil dat haast niemand het horen kon.

'Hij heeft "ja" gezegd!' riepen Antoine en Bever tegelijk.

De vrouwen juichten. Mannen klapten in de handen. *Sagamo* Henri stak beide armen omhoog om stilte te vragen.

'Wie is de knaap die ervan droomt met het mooiste meisje uit mijn stam te trouwen?' vroeg hij, streng en teder tegelijk. 'Is hij een verlegen Fransman of een dappere Mikmaq?'

Ti'bert probeerde een antwoord te verzinnen, maar meer dan gehijg kreeg hij niet uit zijn keel geperst.

'Kom op!' riep Antoine. 'Antwoord! Ben je een Fransman of een Mikmaq?'

'Een Fransman... Eh... Een Mikmaq... Eh...'

Het werd hem te machtig.

'Verdorie!' schreeuwde hij. 'Waarom moet ik kiezen? Waarom kan ik niet tegelijk een Fransman en een Mikmaq zijn?'

Antoine lachte bulderend.

'Hoor je dat?' riep hij naar zijn vrouw. 'De kleine Albert wil zijn bruid 's avonds in bed met Zoete Bes aanspreken, maar haar de volgende ochtend zijn Eloïse noemen. Zou je dochter dat van een man kunnen verdragen?'

Ti'bert stierf duizend doden, maar Zoete Bes was helemaal niet uit het lood geslagen. Terwijl haar moeder kirde van de pret, antwoordde het meisje poeslief: 'Waarom zou ik me ongelukkig voelen als hij 's morgens naar "Albert" luistert en 's avonds gelukkig is wanneer ik hem "Ti'bert" noem?'

'Oh!' deed tante Li en ze sloeg haar handen voor haar mond.

'Oh!' riep Marie-Ange.

Ti'bert stond er nog altijd verbouwereerd bij. Hij kon geen manier meer bedenken om zijn lot weer in eigen handen te nemen. *Sagamo* Henri legde vaderlijk een arm om zijn schouder.

'Mijn vriend Pa'bert had je goede raad kunnen geven', zei hij. 'De voorbije maanden heb je echter bewezen dat je even wijs bent als je opa en even dapper als je papa. Daarom weet ik dat je de juiste man voor Zoete Bes zult zijn, wanneer je over twee zomers volwassen wordt.'

'Twee zomers', kreunde Ti'bert opgelucht.

'Zo lang moet je wachten voor je Zoete Bes in je armen mag sluiten', zei Antoine met een veelbetekenend knipoogje.

'Oh!' deed tante Li nogmaals.

'Ik zorg er wel voor dat mijn vriend zich tegen die tijd als een echte Mikmaq zal gedragen', blufte Bever.

Sagamo Henri wendde zich met een ernstige trek rond zijn mond tot tante Li. Ze voelde meteen wat de oude man haar wilde vragen. Nog voor hij een woord had uitgesproken, antwoordde ze al met een glimlach die even welsprekend was als honderd woorden: 'Ik vind het een eer je voorstel aan te nemen. Ik vind het prima dat mijn neef trouwt met je kleindochter.'

Met luide stem, opdat alle aanwezigen het hoorden, riep het stamhoofd: 'Luister! Ik verklaar plechtig dat kleine Albert, een dappere zoon van de stam der Fransen, en Zoete Bes, een wijze dochter van de stam van de Beer, verloofd zijn!'

Met een groot gebaar maakte hij een einde aan het gejuich dat spontaan weerklonk.

'Luister!' beval hij. 'Vandaag nog bouwen we een wigwam zodat onze Franse vrienden als waardige buren bij ons kunnen leven. Wanneer sneeuw en ijs gesmolten zijn, zullen we tante Li en de kinderen begeleiden naar hun stamgenoten aan de overkant van de stroom. Ti'bert zal in mijn wigwam wonen tot hij een eigen wigwam zal bouwen voor zichzelf en zijn bruid.'

Zijn uitspraak werd onthaald op luid, goedkeurend gemompel. Behalve Bever hoorde daarom niemand wat het stamhoofd nog in Ti'berts oor fluisterde.

'Ik ben er trots op dat jouw bloed zich zal mengen met dat van mijn kleindochter, kleinzoon van Pa'bert.'

'Dank je, *sagamo*', antwoordde Ti'bert met een verstikte stem.

Tot zijn verbazing zag hij dat Bever vreugdetranen wegpinkte om daarna met een gekke grimas uit te roepen: 'Vergeet niet mij en mijn stam uit te nodigen op de trouwpartij!'

GEEN PLAATS OM TE VLUCHTEN

De raad van ouderen oordeelde 's avonds dat de Robbenstam een zware losprijs moest betalen voor Rode Zon en zijn krijgers.

De eis van Antoine om het stamhoofd te doden, wezen de oude mannen af.

Ze waren bang dat de Engelse bondgenoten van het Robbenvolk een terechtstelling als een oorlogsdaad zouden beschouwen.

Kapitein Charles Wilson luisterde verveeld naar het aanbod dat Bever en de gezanten van de Berenstam hem deden. Met tegenzin stuurde hij toch een groep soldaten naar het kamp van de Irokezen om de overlevenden van het volk van de Steur te bevrijden.

Hij verbood Mes en Schele nog één voet te zetten in zijn kolonie. De twee trokken de wildernis in. Niemand hoorde nog iets van hen.

Tante Li, Marie-Ange en de kinderen staken in de lente de grote stroom over en vestigden zich in een Frans kolonistendorp.

Sagamo Henri behandelde Ti'bert als zijn eigen zoon, tot de dag dat de Franse jongen met Zoete Bes trouwde. Voor de grote plechtigheid waren zowel Ti'berts familieleden als Bever en de zijnen uitgenodigd.

Korte tijd later kwamen er Engelse soldaten in het dorp van de Berenstam om er een fort te bouwen. *Sagamo* Henri en Antoine leidden hun mensen over de rivier in de hoop daar voor eeuwig in vrijheid te kunnen leven. Het volk van de Steur, onder leiding van het nieuwe stamhoofd Bever, sloot zich bij hen aan. Zo werd Ti'bert weer verenigd met zijn indiaanse vriend en met de overlevenden van zijn eigen familie.

De dag dat Ti'bert en Bever elkaar weerzagen aan de overkant van de Saint-Laurent, versloegen de Engelsen het Franse leger in Montréal. Voortaan zou Canada een Engelse kolonie zijn. Voor de twee jonge vrienden zat er niets anders op dan te buigen voor de macht van de nieuwe heersers uit Londen.